"Dedico este livro aos meus pais, Aristeu e Odete, que me educaram para ser guerreira e por terem me incentivado desde a infância a praticar esportes. Meu corpo se lembrou disso durante o *Medida Certa* e agradece! E ao público, especialmente às mulheres, pelas palavras de carinho e incentivo que me dirigiam sempre que me encontravam pelas ruas e nas redes sociais. Toda vez que eu ouvia de uma delas a frase: "estou entrando na medida certa com você!", dobrava minha vontade de seguir em frente."

"Para o meu pai, o "dr." Saul, que certamente ficaria orgulhoso de ver que o filho finalmente entrou na *Medida Certa*!"

"Dedico este livro a todos que contribuíriam para minha formação profissional e pessoal e para todas as pessoas que procuram um estímulo para cuidar da saúde."

Zeca Camargo

Introdução

Você sempre imagina que um dia vai parar na frente do espelho e falar: "É hoje que vou tomar uma atitude com meu corpo, pois já não aguento mais o que estou vendo". Infelizmente, não é isso o que acontece. Mesmo com a idade avançando, os hábitos alimentares relaxando, a atividade física se aproximando do zero (ou já entrando em escalas negativas!) – mesmo com a própria imagem que você vê no espelho gritando que alguma coisa está errada –, você olha e diz: "Tá legal, estou segurando". Talvez, num tom otimista totalmente autoilusório, você ainda complete: "Só para dar uma equilibrada, hoje não vou tomar aquele vinho – e juro que vou ficar sem sobremesa". E então você abotoa a calça, tenta não reparar que está ligeiramente mais difícil fazer o botão se aproximar de sua casa do que da última vez, finge que não registra que o mero ato de amarrar os sapatos está um pouco mais exasperante, nem liga quando a simples ação de pentear os cabelos exige um pouco mais dos seus pulmões e tenta se convencer – numa última olhada no espelho – de que as bochechas mais recheadas são um claro sinal de vitalidade. E sai de casa esbaforido.

Nós adoramos nos enganar – especialmente quando se trata da nossa imagem. Acostumados a ver nosso reflexo diariamente em incontáveis superfícies espelhadas que encontramos a toda hora, não somos treinados para reparar em sutis diferenças que se acumulam no dia a dia. No entanto, quando, mesmo de brincadeira, comparamos o que somos

"NÃO TENHO tempo para *nada*"

hoje com uma imagem (uma foto ou um vídeo caseiro) de cinco, dez, vinte – ou mais! – anos atrás, a reação é sempre a mesma: um susto enorme! Mas nem por isso você se anima a fazer alguma coisa para mudar seu estilo de vida.

As desculpas são várias – e sempre recorrentes. "Não tenho tempo para nada" é a mais comum. (Às vezes não tem mesmo, mas quem disse que não é possível reorganizar a rotina, o que você vai ver como é simples neste livro?)

Muita gente prefere simplesmente dizer que não tem mais idade para isso – uma desculpa que, ironicamente, é usada até mesmo por pessoas que ainda nem cruzaram a barreira dos 30 anos! "Comer é uma das melhores coisas da vida!" – já ouviu essa? É fácil concordar com essa ideia, claro, mas o que isso tem a ver com sua capacidade de se mexer

Acima, as primeiras apresentações do *Fantástico*, nos anos 90; abaixo, as refeições antes do *Medida Certa*.

– até para poder aproveitar melhor o próprio prazer de comer – não fica muito claro... Depois vêm as "desculpas criativas": "Se eu me exercitar demais, isso vai atrapalhar meu estudo/trabalho/casamento"; "Depois que meu filho nasceu, minha rotina está impossível"; "Não gosto do clima de academia de ginástica". E ainda sobram aquelas mais surreais: "Tenho medo de ficar com um lado mais forte que o outro"; "Meu corpo já está acostumado com a quantidade de gordura que eu consumo"; "Já tenho um cachorro e um gato" (quando a pessoa está mesmo querendo se enganar, qualquer argumento vale!).

Os livros de autoajuda e os conselheiros amadores de plantão adoram dizer que gostamos de repetir essas coisas para não sair da nossa "zona de conforto". O que é uma ironia, já que, na verdade, elas indicam que estamos justamente numa "zona de desconforto" – quando todos os descuidos que tivemos nos últimos anos com o corpo vêm bater à nossa porta com sinais do tipo "sono ruim", "indisposição", "cansaço generalizado"... Por inércia, ficaríamos ali para sempre – um sempre que, diga-se, não duraria muito... O que é preciso então para sair dessa situação?

A primeira solução é também a mais difícil de encontrar: uma força de vontade absurda! Outras possibilidades, mais esotéricas, incluem orações, meditação e a crença de que seres extraterrestres vão chegar com uma dieta que finalmente será capaz de satisfazer a relação ideal entre esforço (zero) e recompensa (cem). Ou então você pode ter a sorte de ter milhões de pessoas acompanhando você, torcendo por você, conferindo e lhe dando uma boa força para que você entre em forma. Que foi, claro, o que aconteceu quando topei fazer o quadro *Medida Certa* no *Fantástico*.

Tudo aconteceu meio de repente. Um dia, liguei para Luiz Nascimento, o Luizinho, diretor do programa, oferecendo uma ideia sobre um grande concurso de música popular que poderia acontecer no *Fant* (como a gente chama carinhosamente nossa ocupação favorita no domingo à noite) – que, aliás, não vingou. Na mesma conversa, Luizinho me adiantou que também tinha uma proposta que gostaria de dividir comigo. Insisti que ele me adiantasse pelo menos alguma coisa, mas ele preferiu conversar "pessoalmente". Achei um pouco estranho – afinal, estamos acostumados a ter um canal criativo bem pouco formal. Mas ele parecia animado, e eu passaria pela redação no dia seguinte. Por que não?

Quando nos encontramos, ele foi direto ao assunto: "A gente está com uma ideia meio diferente, quero ver se você se anima". Achei novamente estranho, porque, entre tantas coisas, o *Fant* é bom em ter ideias diferentes. Mas, pelo tom da introdução, essa me parecia um tanto "diferente demais"... E logo percebi por quê. Primeiro, ele me contou que o Marcio Atalla – o preparador físico que se tornaria meu companheiro frequente nos três meses seguintes (quase um guru!) – o havia procurado com a intenção de levar um programa de saúde e redução de peso que havia criado (e já experimentado num canal a cabo, o GNT) para o *Fantástico*. Ele, Luizinho, a princípio havia gostado do formato, mas queria fazer algo mais surpreendente no programa.

Conhecendo meu diretor como conheço – afinal, são quinze anos de trabalho juntos –, eu já deveria imaginar o que viria... Mas quando ele me falou, meio à queima-roupa, que sua ideia era me convidar para ser o objeto dessa transformação – ou, como acabamos batizando mais tarde, reprogramação – corporal, fui pego de surpresa. Tanto que a princípio, quase por reflexo, eu disse sim! Achei que seria mais uma "maluquice" em que a gente entra de cabeça para ver no que vai dar – e como minha confiança no Luizinho é infinita, a resposta era positiva. Porém, logo vieram as ressalvas. "O Brasil todo vai saber suas medidas", ele disse. "E os resultados de seus exames de sangue, seu colesterol, ácido úrico, nível de glicose, tudo." E mais: as câmeras iriam me acompanhar na minha casa, nas minhas atividades, em boa parte do meu lazer – e eu ganharia até mesmo uma só para mim, para gravar declarações do tipo "confessionário" para os momentos de desabafo. Não teria uma meta, um número definido de quilos a emagrecer, mas um objetivo: mudar os hábitos para ter uma vida mais saudável. Com base nisso é que eu seria avaliado. Será que eu estava pronto para isso?

Novamente, disse que minha resposta era sim, mas confesso que saí da sala do Luizinho pensando... Será que ia conseguir? Com o mesmo otimismo de quem, como escrevi no início, olha no espelho e acha que está tudo bem, fiz um autoexame (mental) rápido. Não fumo – aliás, nunca fumei na minha vida. Estava com 47 anos (completei 48 no meio do projeto), num pique que julgava bom. Muitas pessoas se surpreendiam quando eu dizia minha idade – o que era um bom sinal de que eu talvez não aparentasse os anos que a data de nascimento no passaporte afirmava e não me deixava mentir... Então, pelo menos no exterior, "tudo estava bem".

Por dentro? Sempre achei que tinha uma vida relativamente ativa. De uma maneira ou de outra, sempre estive envolvido com alguma atividade física. Durante toda a década de 80, por exemplo, dancei profissionalmente – e cheguei a ser professor na escola de Ivaldo Bertazzo, em São Paulo. Nos anos 90, já bastante envolvido com o jornalismo, acabei me dedicando à natação. Outros tipos de exercício ou esforço físico, ainda que de maneira "amadora", faziam parte naturalmente da minha rotina (ou pelo menos essa era a impressão que eu tinha). Na primeira década deste nosso século, é verdade, dei uma parada geral – e o reflexo disso, se não conscientemente visível no espelho, era pelo menos sensível no desconforto que as roupas de sempre passaram a impor. Mas, no geral, eu achava que estava tudo bem.

"Homem não vai ao médico" – tenho certeza de que você já ouviu essa frase. Para mim, ela era como um mantra velado, e talvez o fato de ter tido, até recentemente, um pai que era médico, me deixasse numa (olha ela de novo aí) "zona de conforto". Nunca passei por uma cirurgia grave – a retirada de uma pinta nas costas, logo na chegada da adolescência, foi talvez o "evento médico mais traumático" da minha vida. Umas duas gripes por ano me colocavam "no estaleiro" por alguns dias – e raros haviam sido os casos de um problema digestivo ou intestinal nessas quase cinco décadas de vida... Então, nada indicava que eu precisasse me exercitar.

No entanto, mesmo com todo esse otimismo, eu sabia, lá no fundo, que estava... gordo! O que o Luizinho muito disfarçadamente havia colocado ao me fazer aquele convite era que já não dava mais para disfarçar que já havia algum tempo eu tinha mudado radicalmente de silhueta (para não falar de manequim). Principalmente para quem trabalha com a imagem, como eu, essa é uma transformação perceptível. Mesmo que os telespectadores não se deem conta dela de uma semana para outra, depois de algum tempo a diferença é bem visível. E eu mesmo, pouco tempo antes, tinha passado pela "amarga" experiência de me ver bem mais magro num flashback de um *Fantástico* antigo que eu mesmo havia apresentado. Foi horrível...

E foi assim que, meio dividido, pouco menos de um mês depois de a proposta ter sido feita, eu assumia, diante de milhões de brasileiros, o compromisso de mudar meu estilo de vida em nome da saúde. Eu ainda não sabia exatamente que dificuldades teria de enfrentar – que notícias meus exames me trariam, como profissionais da saúde (médicos, nutricionistas) avaliariam meus hábitos e que mudanças recomendariam, que consequências isso traria para minha rotina e para minha vida. Mas fui em frente.

Não sem antes fazer uma espécie de "despedida" informal. Aproveitei para dar, digamos, um adeus aos excessos: às frituras, à preguiça, aos doces e até ao álcool. Depois da Quarta-Feira de Cinzas, no mesmo espírito, escolhi alguns dos restaurantes de que mais gosto, no Rio e em São Paulo, para jantares "de deixar saudades". Naquele clima pré-*"Medida"*, não havia restrições: o creme de leite rolava tão solto quanto o vinho tinto (minha fraqueza). E, nos dias anteriores ao início do projeto, eu me permitia até uma caipirinha num almoço de dia de semana – desde que ela acompanhasse uma feijoada! Não era para esquecer de tudo isso?

Exame de sangue, teste de esforço e pesagem antes de tudo começar.

Saía com amigos, brincava que eles seriam meus "fiscais", que muitos deles teriam de mudar seus hábitos (mesmo sabendo que não teria a menor chance de convencê-los), avisei a família que passaria por uma mudança radical (e aí eram eles que me olhavam com incredulidade...), fui me acostumando às piadas dos colegas de trabalho – e, quando vi, já estávamos no último domingo antes de a "aventura" realmente começar. Meu "último desejo" foi jantar, depois do *Fantástico*, num restaurante típico espanhol, com muitas opções de tapas – das "batatas bravas" ao croquete de presunto cru, tudo regado com muita sangria...

E aí, na segunda-feira de manhã, o que tinha à minha frente era uma pequena salada de frutas, uma fatia de pão integral com uma camada quase transparente de requeijão, um copo de água de coco e uma ansiedade que nunca havia experimentado na minha vida.

Peso inicial: 111,4 kg
Peso final (90 dias depois): 104 kg (perdeu 12,29 kg de gordura e ganhou 4,9 kg de massa muscular)
Circunferência abdominal inicial: 110,3 cm
Circunferência abdominal final 90 dias depois: 99 cm.

"Nesse início, meia hora de exercício já era um enorme sacrifício para mim. Fiquei exausto no primeiro dia", Zeca.

Renata Ceribelli

Introdução

Foi dada a largada...

Inverteram-se os papéis. A partir de agora, durante boa parte do dia, uma equipe de reportagem estará atrás de mim, seguindo meus passos, e não mais minhas "orientações". O poder de decisão sobre o que gravar está nas mãos "deles": cinegrafista, produtora, editor, diretor.

Imagine que situação estranha para mim, repórter que durante mais de vinte anos sempre esteve no comando da equipe, ser agora uma "personagem", ser o foco, o assunto da reportagem! Para piorar, sou do tipo que gosta de ter controle sobre todas as etapas de uma reportagem, da produção à edição. Claro que teria de abrir mão disso. Sempre tentei disfarçar meus quilos a mais no vídeo. Várias vezes, antes de a matéria ir ao ar, eu me sentava na ilha de edição e pedia para trocar uma imagem por outra, porque me achava muito gorda no vídeo. Agora seria exatamente esse o foco que teria de ser mostrado. Confesso que, relembrando aqueles primeiros momentos, ainda fico tensa. A grande vantagem era ter o Zeca comigo nessa aventura. Era bom saber que eu não estaria sozinha. Mas, afinal, por que aceitei esse desafio?

DE BEM COM MEU CORPO Durante minha infância e adolescência, nunca fui gorda, mas também não era magra como as meninas de hoje, que perseguem o padrão corpo de modelo. E também não queria

"FIQUEI
três anos sem usar
biquíni"

ser. O padrão era outro. As curvas tinham seu valor, e, com elas, eu era considerada uma menina bonita. Colocar um biquíni era um prazer, e não um sofrimento. (Que saudade desse tempo!)

Lembro-me da primeira vez na vida em que me preocupei com o peso. Foi quando saí de São José do Rio Preto, no interior de São Paulo, cidade onde nasci e cresci, para estudar jornalismo na capital. Eu estava com 17 anos e fui morar no apartamento da dona Neve, uma senhora viúva e mãe de Bernadete, amiga da minha irmã. Elas eram bem próximas da minha família, estavam morando havia pouco tempo em São Paulo e me "hospedaram" no meu primeiro ano de faculdade.

A comida da dona Neve era maravilhosa, e até hoje me lembro das famosas batatas fritas que ela fazia todos os dias, tão sequinhas e crocantes que, só de pensar, sinto o sabor delas na boca.

Eu grávida de gêmeos aos 25 anos. (Sim, essa da foto sou eu, rs) E com meus bebês Marcela e Rodrigo. Foco total neles, sem espaço para vaidade.

Mas não eram só as batatas. Tinha o pão fresquinho, daqueles que só nas padarias de São Paulo a gente encontra, que ela comprava todas as manhãs. Ao menor contato com ele, a manteiga se derretia toda. O pão estava presente no café da manhã, no almoço, no lanche da tarde e no jantar. E isso era normal!

Hoje, tenho certeza de que dona Neve queria me engordar. Não por maldade; pelo contrário, só para mostrar para a minha mãe que estava cuidando bem de mim – pensamento de pessoas mais antigas, que achavam que gordura era sinônimo de saúde.

Dona Neve passou na minha vida, mas as gordurinhas ficaram. Mas não chegaram a afetar de maneira muito grave minha autoestima. Mesmo porque meu foco era outro. Eu estava muito mais ligada na atividade intelectual do que na atividade física. Assim, ainda estava feliz com minha aparência. Aos 18 anos tudo é mais bonito, né?

O grande impacto da gordura na minha vida veio mesmo quando engravidei.

MEUS GÊMEOS

Assim que soube que estava grávida, parei de fumar. Tive de parar. Minha consciência não me permitiria levar fumaça para o meu bebê – sim, meu bebê, porque até então eu não sabia que seriam gêmeos.

Eu era uma fumante grave, daquelas de matar dois maços em um dia e acordar no meio da noite para fumar! Fedia a cigarro.

Só o fato de largar o vício já foi o suficiente para me fazer comer mais. Sem o cigarro para levar à boca na hora da tensão, eu beliscava a toda hora. Maldita ansiedade!

A situação piorou quando descobri, aos quatro meses de gravidez, que não teria um filho, mas dois! Meu médico, que até então controlava meu peso para não deixar que o aumento passasse dos 12 quilos, liberou geral. Ele disse com todas as letras: "Agora é outra gravidez, e você não pode ficar controlando a alimentação". Hoje em dia, com os novos conhecimentos, acredito que ele não teria me liberado tanto.

Enfim, terminei a gravidez com quase 30 quilos a mais. E nem aí pra isso. A única coisa que me interessava eram meus dois bebês encantadores, Rodrigo e Marcela, que recebiam todo o amor que existia dentro de mim. Eu só queria saber deles e de mais nada nem ninguém! Mas a licença-maternidade foi acabando, eles foram se desenvolvendo, e tive de ir retomando a minha vida, retornar ao trabalho, e foi então que parei um pouco para olhar para mim.

Lembro do momento em que me olhei no espelho e me desesperei. O Rodrigo e a Marcela deviam estar com quase um ano já. Eu não me reconhecia. Aquele corpo não era o meu! Ninguém tinha me avisado que ele mudaria tanto, que minha barriga ficaria tão flácida, e com tantas estrias! Passei tanto óleo de amêndoas e não adiantou nada? Revoltante.

E eu só tinha 25 anos. Um verdadeiro choque.

O pior é que preferi apagar meu desespero da memória, porque o foco tinha de ser outro. Eu me culpava por estar pensando em vaidade naquele momento. Fugir do espelho era mais fácil.

Durante a amamentação, a ignorância alimentar me fez comer muito e com pouca qualidade. Sim, ignorância alimentar. Eram pratos e pratos de canjica, porque falavam que aumentava o leite. Mas o que aumentava mesmo era meu peso.

Fiquei uns três anos sem usar biquíni. Com as crianças já um pouco maiores, fui em busca do meu corpo antigo por meio da malhação.

Malhei muito. Fazia spinning, musculação, corrida na esteira. E levava os meus gêmeos junto. Eles nadavam, jogavam basquete; a Marcela fazia dança enquanto eu malhava.

Recuperei minha musculatura com muito exercício físico, mas novamente a ignorância falou mais alto, e cometi um erro terrível: tomei esses suplementos que os professores de academia indicam que contêm efedrina e outros "parentes" da anfetamina. Tudo para ganhar mais pique, queimar mais gordura, perder peso com mais facilidade e rapidez.

Resultado: taquicardia e arritmia, que tiveram de ser tratadas com remédios, e uma sequela que me acompanhou até há pouco tempo: um tremendo medo quando estava em uma atividade física e sentia meu coração acelerar.

Toda vez que sentia meu coração bater um pouco mais forte, entrava numa crise de pânico, achando que teria uma parada cardíaca. Achava que meu coração não ia voltar. Isso atrapalhou para sempre minha relação com a atividade física. Até o *Medida Certa* começar.

Efeito sanfona na época de repórter do *Video Show*: fase magra e com cabelos mais curtos.
Fase cheinha com cabelos cacheados, nos bastidores de gravação da novela *Renascer*.

Mais uma vez, comecei a engordar. E minha autoestima, claro, a baixar.

Nesse momento o leitor pode se perguntar: mas e a televisão? As pessoas não cobravam?

A resposta é não. Pelo menos, não abertamente. O que estou contando se passou na segunda metade da década de 80, início dos anos 90, quando as repórteres de televisão ainda usavam roupas bem masculinas, como terninhos e blazers. A mulher ainda tentava se impor como profissional frente ao homem. E a beleza não tinha o peso que tem hoje diante das câmeras. Acho que nem na vida das pessoas.

Nessa época eu trabalhava na TV Cultura de São Paulo, em um programa sobre os bastidores da mídia chamado *Vitrine*.

Comecei como repórter, e a apresentadora era a Leonor Correa, irmã do Faustão. Nós duas éramos gordas. E o programa fez muito sucesso, chegando a ganhar um prêmio de melhor do ano. Leonor Correa saiu do programa, e me tornei apresentadora.

Eu começava a ter uma exposição cada vez maior na mídia e um relacionamento cada vez pior com meu corpo.

EFEITO SANFONA

O sucesso do *Vitrine* me rendeu um convite para ser repórter do *Vídeo Show*, ao lado da Cissa Guimarães e do Miguel Falabella.

Foram cinco anos engordando e emagrecendo, alternando fases em que ficava mais magra e mais cheinha.

Em 2000, quando fui para o *Fantástico*, estava na fase magra, e meu corpo já estava cansado dessa história de engordar e emagrecer. Acho que ele começou a se vingar de mim. Eu perdia 1 quilo e engordava 2. Perdia 2 e engordava 3, perdia 3 e engordava 4, e nessa brincadeirinha ultrapassei os 70, depois os 75, cheguei aos 80, 81, 82! Desespero total!

Emocionalmente foi terrível, pois eu não aguentava mais "disfarçar". Já não vestia mais o que eu gostava, e sim o que disfarçava.

Ter de se preocupar em esconder o corpo trabalhando em frente às câmeras é horrível.

Comecei a ter uma alimentação mais saudável, a comer porções menores, a fazer exercícios físicos, mas nada disso adiantava mais. O ponteiro da balança não mudava. Por quê? Era só isso que eu me perguntava. Será a idade? Os hormônios? Uma conspiração da natureza contra mim? Na primeira consulta com a nutricionista da série *Medida Certa*, entendi o que estava acontecendo. Mas isso eu conto daqui a pouco.

A PROPOSTA Imagine ser chamada pelo seu chefe para uma conversa e ser convidada a revelar seu peso e suas medidas para o Brasil inteiro!

Eu estava na minha mesa quando o diretor do *Fantástico*, Luiz Nascimento, passou por mim e com sua voz mansa, sempre em um tom mais baixo do que o barulho da redação, falou:

– Vem cá, depois eu quero falar com você.

Não parecia nada muito importante, nem que ele tinha pressa.

Com Didi e Zacarias no início da profissão, antes de ser mãe, na década de 80.
No programa *Vitrine*, da TV Cultura, logo depois que Marcela e Rodrigo nasceram, início dos anos 90.
E no *Fantástico*, entrevistando Pelé, no início desta década.

Mas no final da tarde ele me chamou à sua sala e perguntou:

– Você conhece o Marcio Atalla?

– Sim, de nome – respondi.

– Ele tem um projeto, este aqui...

E me mostrou um DVD com a foto do Marcio na capa e o título: "Três meses para mudar sua vida".

– Ele apresentou para o *Fantástico* um projeto de saúde que achei muito legal. A ideia é a pessoa perder peso com exercícios físicos e mudança de hábitos alimentares. Nesse momento, pensei: "Bacana, ele vai me convidar para apresentar um novo quadro no *Fantástico*". Até que ele falou:

– Pensei em fazer um reality com você e o Zeca experimentando o programa dele.

– Como assim, Luizinho?

Ele começou a rir de um jeito que, na redação, todos sabem: por mais absurdo que pareça, ele está falando sério.

E continuou:

– Você fica à vontade para responder. A ideia é experimentar em vocês tudo aquilo que o programa sempre fala ao telespectador sobre saúde. Só que você vai ter de se pesar diante das câmeras, mostrar suas medidas, para compararmos no final. O que você acha?

Eu, personagem de um reality? Fui para casa com muitas indagações na cabeça:

"Vou ficar para sempre marcada como a repórter gorda? Por outro lado, vou emagrecer, e isso pode ser bom.

Mas e se não conseguir perder peso?

Qual será a consequência de uma exposição desse tamanho? Será que pode comprometer minha seriedade/credibilidade jornalística? Não, posso ser personagem e repórter ao mesmo tempo. Posso encarar isso como uma reportagem, na qual o público vai ver em mim os efeitos de um programa de saúde.

Mas... o que meus filhos Rodrigo e Marcela vão achar? E o Gustavo, meu marido?"

Na hora do jantar, contei para ele. Sua reação foi me dizer, rindo:

– Duvido que você concorde em revelar seu peso para todo o Brasil. Estamos juntos há sete anos, e eu não sei!

É verdade, ele não sabia. Acho que também nunca se atreveu a perguntar. Devia imaginar que para mim era muito mais fácil revelar a idade do que o peso.

Mas ele me apoiou. Disse que achava interessante o projeto e que eu devia fazer.

O ponteiro da balança *não mudava. Por quê? Uma conspiração da* natureza *contra mim?"*

Peso inicial: 80,3 kg
Peso 90 dias depois: 74,4 kg (perdeu 9,5 kg de gordura e ganhou 3,6 kg de massa muscular)
Circunferência abdominal inicial: 96,5 cm
Circunferência abdominal 90 dias depois: 82,7 cm.

"Fiquei chocada! Quase 14 cm de cintura a menos? Eu tinha tudo isso?", Renata

Marcio Atalla

Introdução

Há anos procuro desenvolver maneiras de tornar a vida de meus alunos mais saudável, com mais movimento e qualidade. Essa não é uma missão fácil, mas está longe de ser impossível.

A grande dificuldade que encontrei, e encontro, nesse caminho é "mexer" com a cabeça das pessoas e fazê-las acreditar que essa mudança vai ser boa, principalmente, para elas mesmas.

O método que proponho, experimentado mais uma vez, agora no programa *Fantástico*, pelo Zeca Camargo e pela Renata Ceribelli, inclui uma reprogramação do corpo e da mente em noventa dias – prazo que considero inicial para uma mudança eficaz e real do estilo de vida. Todo conceito ou método que utilizo é baseado em comprovações científicas e em minhas experiências ao longo de anos trabalhando com atletas de alto nível e pessoas comuns.

O método tem como ponto de partida a mudança de padrão ao qual aquele corpo está habituado. Esse "choque" promove um desconforto inicial, e a partir daí buscamos o novo equilíbrio de funcionamento do corpo. O fato é que qualquer pessoa precisa de um tempo de adaptação, já que o organismo tende a rejeitar a mudança e, por causa de reações químicas, como a secreção de alguns hormônios e citocinas pró-inflamatórias, que aguçam a vontade de ingerir comidas calóricas e ricas em gorduras, tenta nos levar de volta ao antigo padrão de funcionamen-

"O PRIMEIRO passo para uma vida *com saúde*"

to. Os três meses iniciais são os mais difíceis, mas essa "luta" prossegue, ainda, por cerca de seis meses.

EXERCÍCIOS: SEM FIM Proponho noventa dias para reprogramar o corpo e a mente porque nesse período já conseguimos alterações em alguns neurotransmissores associados ao prazer, que são liberados pela atividade física feita de forma regular. São eles a serotonina e a endorfina. Nesse tempo, é possível perceber também algumas mudanças físicas, o que promove melhora na autoestima e no humor. O exercício não é mais encarado como momento de sofrimento, de dor. Esse sofrimento dá lugar à sensação de capacidade física e mental, isto é, à percepção de que somos fisicamente capazes de fazer coisas que antes não conseguíamos e que estamos mentalmente mais fortes. Isso é bastante importante para passarmos à próxima fase: a de manutenção da atividade física regular, sem data para acabar.

Vale dizer que esse programa pretende ser o primeiro passo para uma vida com saúde. Apesar de promover o emagrecimento, o que está diretamente ligado ao ganho de saúde, não se fundamenta em resultados estéticos. Sendo assim, faz-se necessário algo que chamo de inteligência nutricional. Nada muito complicado nem sacrificante. Absolutamente nada restritivo. E essa inteligência nutricional não deve ser associada à escravidão, à dieta, ao desespero. Sobretudo não tem data pra começar nem pra terminar. Costumo enumerar cinco dicas básicas e simples, que devem ser adotadas por quem quiser ter um novo padrão alimentar:

- Diminuir o consumo de gorduras, principalmente as saturadas (carnes vermelhas, leite integral, manteiga, biscoitos recheados etc.);
- Diminuir a ingestão de açúcar e sal;
- Aumentar o consumo de fibras (frutas, saladas, legumes, cereais integrais etc.) para cinco porções diárias;
- Aumentar o consumo de água (cerca de dois litros, consumidos ao longo do dia);
- Comer fracionadamente (muito importante para manter o metabolismo em ritmo acelerado), com intervalos de, no máximo, quatro horas de jejum. Vale lembrar que as porções devem ser menores.

Com relação à atividade física, algumas regrinhas são fundamentais para ter sucesso. São recomendações da (OMS) Organização Mundial da Saúde, com pequenas adaptações minhas:

- 150 minutos de atividades aeróbicas por semana, preferencialmente divididos em cinco dias. Podem ser corrida, caminhada, natação, ciclismo etc.;
- Pelo menos dois dias de trabalho de resistência, como musculação, ginástica localizada, pilates etc. São exercícios importantes para manter e aumentar a massa muscular, que, consequentemente, aumentará o ritmo metabólico basal, bem como a força e a autonomia, normalmente perdidos com o avanço da idade;
- Descansar um dia na semana – no máximo dois, se o corpo sinalizar que isso é necessário. Como é importante para o corpo perceber um novo padrão, recomendo, pelo menos, 22 dias de atividade física por mês.

Como já disse anteriormente, minha proposta é promover a saúde. Está cientificamente comprovado que a atividade física regular, como carro-chefe, e uma alimentação inteligente conseguem controlar os fatores de risco de uma série de doenças crônicas adquiridas, como diabetes, problemas cardíacos, osteoporose, alguns tipos de câncer, depressão. Entre os fatores de risco estão a obesidade, a circunferência abdominal aumentada, o colesterol e a glicemia elevados.

> *Emagrecer sem atividade física não vai se refletir em ganho de saúde*

Emagrecer por outros caminhos, sem atividade física, não vai se refletir em ganho de saúde. Costumo dizer que é melhor ter um pouco de sobrepeso e ser fisicamente ativo do que ser uma pessoa magra e sedentária. A atividade física corresponde a cerca de 70% ou 80% do emagrecimento, enquanto a alimentação contribui com cerca de 20% ou 30%. A explicação científica é que a alimentação atua, na maioria das vezes, apenas no citoplasma, fazendo a tradução do (RNA) ácido ribonucleico, enquanto a atividade física regular faz não apenas a tradução, mas também a transcrição do RNA, que ocorre dentro da célula. Seria dizer que a alimentação atinge rapidamente um platô de melhora, mas depois estaciona, ao passo que o exercício regular promove melhoras contínuas, sobretudo se tiver diferentes estímulos e, portanto, novas adaptações.

ALERTA VERMELHO Fazer dieta é extremamente perigoso, principalmente se não estiver associada à prática de exercícios. A restrição drástica de calorias faz o metabolismo se retrair e passar a gastar menos energia para se manter vivo. É uma questão cíclica: come-se menos, gasta-se menos. Ao retomar o padrão anterior ou no momento em que a pessoa dá uma "escapadinha da dieta", o metabolismo absorve a energia extra e a deposita, em forma de gordura, para eventuais necessidades. Além disso, perde-se muita massa magra, ou seja, massa muscular, outro fator importante para manter o metabolismo ativo. Perde-se peso, sim, mas não peso de gordura, que é preciso reduzir para ganhar saúde. Perde-se peso de massa magra e de água (cerca de 70% do peso corporal).

Por isso, proponho: vamos em busca de saúde, qualidade de vida, bem-estar. Não vamos nos enganar. Nosso corpo vai cobrar a conta quando perceber que não pode mais viver sob maus-tratos. Tudo isso será possível somente se houver vontade, consciência, determinação. Isso vai acontecer se você entrar de cabeça, pronto para mudar, para assumir essa responsabilidade e ser o principal agente dessa nova maneira de viver.

ANTES

DEPOIS

Semana 1
Zeca

Atirando no MENSAGEIRO

Fiz cara feia para o médico que me trazia más notícias, mas elas eram apenas reflexo do que acontecia dentro de mim

Eu não tinha ideia da cara que havia feito. Quando o dr. Alexandre Carvalho começou a ler os resultados dos meus exames – e todos eles eram assustadores –, a expressão do meu rosto tornou-se um misto de decepção e braveza. Isso tudo eu só veria ao assistir ao primeiro episódio do *Medida Certa*. Mas ali, diante do dr. Alexandre, eu só estava preocupado em encontrar um culpado para aquelas notícias avassaladoras. E o culpado só podia ser um: aquele médico que estava sentado a minha frente.

Como qualquer pessoa que já enfrentou um diagnóstico em um consultório sabe bem, eu não poderia estar mais errado. Se alguém era responsável por aqueles índices preocupantes – colesterol ruim, alto; colesterol bom, baixo; e assim por diante –, esse alguém era eu. Porém, apavorado, eu estava fazendo o que o velho ditado diz, "atirando no mensageiro", quando o problema não era quem trazia a mensagem, mas a própria mensagem. E de onde ela havia saído? De mim mesmo, é claro.

Eu não fiz os exames de boa vontade. Acho que ter crescido com um pai médico me fez ter uma relação muito estranha com a saúde. Sempre achei que poderia contar com ela. Tive uma infância bem normal, passei por todas as doenças comuns de criança. Meu pai chegava a colocar todos os filhos para dormir no mesmo quarto quando um de nós pegava catapora ou caxumba, para que o contágio fosse rápido. Assim, todos teriam a doença de uma vez. A não ser por uma hepatite grave, que me deixou quase seis meses de cama aos quatro anos, meu desenvolvimento foi o que se pode chamar de regular.

Talvez por esse motivo, eu tenha criado resistência ao assunto. Nunca gostei de ir a hospitais – e mesmo uma visita ao consultório do meu pai era desagradável. Achava que sempre conseguiria me virar sozinho com a minha saúde – e que ninguém precisaria me ajudar nesse aspecto.

É SÓ UMA AGULHA Nesse sentido, só de entrar num laboratório do Rio para tirar sangue, já comecei a ficar bastante irritado. Visivelmente irritado. Renata, que não tem nenhum problema com a situação, logo percebeu o clima e começou a fazer piada com essa minha irritação. Tudo em clima de brincadeira, sem dúvida, mas, quando ela me deu uma esnobada e fez questão de ir antes de mim enfrentar a agulha para retirar sangue, fiquei meio abalado. Não pela esnobada, mas por ter percebido que estava, de fato, morrendo de medo! É só uma agulha – você vai dizer, eu sei (pelo menos, é isso que todo mundo me diz). Mas, para mim, é um problema. Sério! Tem até nome: chama-se aicmofobia. Não gosto de pensar que vou ter de encarar uma injeção – o que ficou claro para a assistente do laboratório, que tentava ser o mais doce possível, distraindo a minha atenção com a moderna aparelhagem capaz de localizar, com uma luz especial, uma boa veia para ser espetada. Isso, porém, em vez de me deixar mais tranquilo, só piorava as coisas.

Quando finalmente chegou a hora da picada... nem senti. Olhando fixamente para o teto, evitei a imagem fatal da seringa se enchendo de sangue (se você for um colega "aicmófobo", sabe que a gente pode até desmaiar ao ver a cena). E quando a assistente disse "pronto, pode tomar seu suco", percebi que a tortura havia acabado. Todo esse pesadelo, porém, não se compara aos horrores que eu ainda passaria no consultório do dr. Alexandre.

> *Meu corpo já está* acostumado *com a quantidade de* gordura *que eu consumo*"

Mas, antes de chegar lá, eu tinha que dar ao telespectador uma ideia de como era meu dia a dia. O problema é que eu mesmo não sabia direito como ele era. Uma das vantagens (ou desvantagens, dependendo do seu ponto de vista) do meu trabalho é que minha rotina é imprevisível. Parte da excitação de trabalhar no *Fantástico* é nunca saber o que vai acontecer. Há semanas em que acordo na minha casa, passo pelo Rio e viajo para o exterior – tudo no mesmo dia! A coisa mais próxima que posso chamar de rotina é a terça-feira, quando acordo cedo, tomo um café da manhã correndo, viajo para o Rio, encaro uma reunião de pauta (de cerca de três horas), almoço com os amigos e me preparo para o restante da semana.

PÃO COM LOMBINHO Conforme o combinado, naquela semana, bem cedo, uma equipe já me esperava para conferir a minha primeira refeição: pães transbordando de requeijão, lombinho defumado fatiado, chá, suco... tudo à vontade! E tudo engolido com pressa, porque o avião estava me esperando. No aeroporto, como se não tivesse comido o suficiente, ainda parei para "completar" com um cafezinho. Subir a escada para a seção de embarque – como brinquei com a câmera – seria provavelmente (e foi) o único "exercício" que eu faria naquele dia.

Há dois anos, preocupado já (mas não muito) com meu, digamos, contorno, me inscrevi numa academia de ginástica. Foi uma experiência inédita. Apesar de sempre ter me mexido de um jeito ou de outro, desde meados dos anos 2000 eu não fazia nenhum exercício físico – nenhum mesmo. Quando eu dançava, não gostava nem de pensar que um dia passaria perto de uma academia, mas, naquela altura, talvez achando que essa seria a única saída para mim, me matriculei num pacote de dois anos – e ainda fechei com um personal. Isso foi em abril de 2009 – e a intenção era verdadeira: queria fazer pelo menos duas aulas por semana com o Léo (o personal) e ainda passar por lá para uma horinha de natação quando fosse possível.

Na prática, não consegui cumprir esse compromisso comigo mesmo. O trabalho era a desculpa mais forte, mas eu sempre inventava um motivo para não ir: da meteorologia (muito frio ou muito calor) aos compromissos pessoais ("Hoje vou fazer um jantar para seis pessoas na minha casa"). Como sempre, achava que estava mandando bem, aparecendo na academia pelo menos uma vez por semana.

Não estava, é claro. Primeiro porque, para mudar alguma coisa no meu corpo depois de anos de "abuso", o choque teria de ser mais forte. Segundo porque, justamente por ter começado a fazer alguma atividade física (ainda que mínima), achava que podia liberar a minha dieta – ou seja, com a desculpa de que estava (supostamente) me mexendo, eu caprichava nas refeições. Pior: caprichava mais ainda no jantar (o que, como descobri na visita à nutricionista – que vou descrever daqui a pouco –, é totalmente desaconselhável). Assim, o que eu tinha era a ilusão de que estava me mexendo – e fazendo algum bem para o meu corpo.

A mesma ilusão eu tinha à mesa. Naquele dia, quando saí da reunião de pauta, fui comer com colegas num restaurante bem popular cuja especialidade é churrasco. Por que não começar com uma... linguicinha?

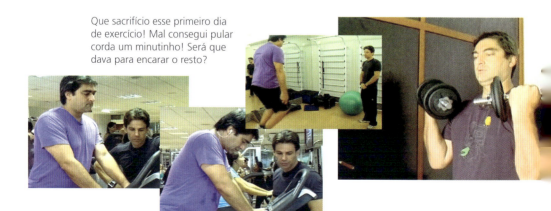

Que sacrifício esse primeiro dia de exercício! Mal consegui pular corda um minutinho! Será que dava para encarar o resto?

"Tá LEGAL, estou segurando a onda"

Eu pensava assim: uma só não vai me prejudicar – sem lembrar que fazia isso em toda refeição (como muita gente faz, por exemplo, com a sobremesa ou, ainda, com a linguiça e a sobremesa). Imagine o resultado desse "uma só não vai fazer mal" acumulado durante anos.

Era exatamente isso que eu estava ouvindo do dr. Alexandre. E odiando!

PREPARO FÍSICO DE TERCEIRA IDADE Como se não bastassem os exames, ele ainda me pediu para fazer uma série de testes de esforço – com resultados... duvidosos. A primeira resposta foi um elogio à minha pressão (12 x 8) e à minha capacidade pulmonar. De resto, eram só más notícias: de tornozelos inchados ("retenção de líquidos", explicou o dr. Alexandre) a baixa resistência (segundo ele, eu tinha o preparo físico de um homem de 68 anos!). Meu nível de irritação só aumentava. E quando fiquei sozinho – enquanto a Renata recebia sua cota de más notícias também – remoí aquelas "novidades", desconfiado.

Será que eu estava tão mal assim? O que mais me incomodava não eram as notícias em si, mas o contraste delas com a ilusão de que tudo ia bem. Eu realmente achava que estava com tudo em cima. Sim, eu sei, um pouco acima do peso, mas "o resto", para mim, estava ótimo. Não estava, claro, e por conta disso saí daquela consulta no maior baixo-astral. Mal dormi naquela noite, e no dia seguinte não consegui disfarçar a minha insatisfação com os colegas de trabalho.

Antes de sair para gravar no consultório da nutricionista Laura Breves, fiz questão de compartilhar meu mau humor com qualquer pessoa que cruzasse o meu caminho. Muitos diziam que era assim mesmo, que esse é o papel do médico, mas eu estava inconformado. A ponto de, ao encontrar o Atalla na porta do consultório da Laura, ele ter tentado me animar. Com um pouco de sorte, as notícias ali seriam melhores... Doce ilusão!

ODEIO DORMIR, ODEIO ÁGUA

Numa consulta de mais de uma hora, ela ouviu sobre meus hábitos alimentares – e quase não conseguiu disfarçar a sua decepção. A certa altura, ainda um pouco chocada, disse algo como: "Não sei nem o que dizer, porque as coisas que mais recomendo às pessoas é que durmam bem e tomem bastante água". Sua colocação era uma resposta direta ao fato de eu ter declarado, com muita determinação, que detestava dormir (uma boa noite de sono, para mim, dura cinco ou seis horas) e que água, a meu ver, era "remédio".

Com relação a esse assunto, vale a pena abrir um parêntese. Jamais gostei de tomar água – desde que me lembro, qualquer opção líquida era melhor que água. Aquela conversa de que "água não tem gosto" para mim era bobagem: água tem gosto, sim, e não é bom! Por conta disso, sempre tomei muitos sucos, chás – e refrigerante aos galões! Água, só se não tivesse outra opção. E, se não tivesse água com gás disponível, era melhor passar sede. Laura ficou meio chocada com isso – e, como descobri depois que o episódio foi ao ar, muita gente também. Recebi do público várias mensagens de apoio, do tipo "eu também não suporto tomar água".

Contrariando esse meu "instinto", Laura foi implacável! Eu deveria dobrar a quantidade de água que tomava por dia – melhor ainda: triplicar! O problema, como tentei contra-argumentar, era que duas (ou três, quatro, cinco) vezes zero... é zero. Se não tomava nada, como ia multiplicar? Laura mostrou-se impassível com a minha tentativa de bom humor e foi imperativa: eu deveria tomar mais água.

> *A nutricionista foi implacável: eu deveria dobrar a quantidade de água e aumentar minhas horas de sono, simplesmente o contrário de tudo que eu fazia"*

(Quanto à questão do sono, ela recomendou descansar mais, mas disso a gente cuidaria mais para a frente no projeto.)

E, então, chegou a hora das medidas – que, como você pode imaginar, estavam bem longe de estar certas... Primeiro a balança, um instrumento com o qual eu não tinha nenhuma intimidade. Verdade! Desde o tempo em que dançava – e lá se vão vinte anos –, deixei de me pesar. Segundo a minha filosofia do corpo, o que importava não era o número que a balança mostrava, mas a sensação interna. "Papo de hippie" –

Nós adoramos nos enganar –
especialmente quando se trata da nossa
imagem. Acostumados a ver nosso reflexo
diariamente em incontáveis superfícies.

aposto que você pensou. Mas era isso mesmo. Passei anos desprezando o ato de me pesar, até que ele se tornou totalmente irrelevante.

NO PRIMEIRO GRAU DE...
Para o nosso projeto, porém, pesar era tudo, menos isso. Era fundamental. E a balança foi cruel: 111,4 kg. Com minha altura de 1,88 m, meu Índice de Massa Corporal (IMC) ficou em 31,5 – um número que fez a Laura contorcer o rosto. Estava altíssimo. Sem falar no percentual de gordura do meu corpo, que, depois de me beliscar com aquela estranha pinça enorme, ela anunciou com pesar: 31,5. Eu, que não tinha ideia do que essas medidas significavam – era a primeira vez que eu passava por tudo aquilo naquele nível de detalhes –, aguardava os comentários de Laura. Mas ela parecia reticente. Mais de uma vez, ao conferir os dados, ela parecia dar voltas antes de soltar um veredicto.

"Você só precisa perder um pouco para sair do primeiro grau", ela disse. "Não é nada grave, mas você está com um pé no primeiro grau." Mas primeiro grau do quê? Ela não falava. Mas logo depois percebi que a palavra era delicada – ruim de ouvir, mas, pelo visto, pior ainda de dizer. O que Laura queria dizer é que eu estava no primeiro grau de OBESIDADE! Não era nem sobrepeso. Era obesidade mesmo! Ou seja, para voltar ao meu peso ideal, eu deveria primeiro sair da obesidade, atravessar a penosa categoria do sobrepeso e aí, sim, quem sabe, podia ter esperanças de ter uma vida mais... normal.

E ainda havia mais um detalhe: minha circunferência abdominal também não ia bem. Uma medida acima de 102 cm (para os homens) significava que eu já estava numa zona de risco de doenças cardíacas. Eu estava com 110 cm – que tal? Quando viu a minha cara – que deve ter sido pior do que a que fiz no consultório do dr. Alexandre –, ela tentou me animar! "São só três furinhos no cinto", me disse, entusiasmada. Três furinhos no cinto! Sabe lá o que é isso?

Comecei a sentir que estava diante de um desafio maior do que imaginava. Aquele entusiasmo que demonstrei quando aceitei a ideia de

FICA A DICA
Segundo a OMS, 30 minutos de atividade aeróbica cinco dias por semana são suficientes para você deixar de ser sedentário.

entrar no *Medida Certa* foi, de uma hora para outra, reduzido a pó... Eu nem pensava nos três meses que tinha pela frente. Só pensava nos tais "três furinhos" (8 cm) e dizia para mim mesmo: "Não vai dar...". Pensava na minha idade – todo mundo sabe, mesmo que superficialmente, que o metabolismo depois dos quarenta anos é mais lento, demora mais para "queimar" o peso extra. Pensava nas mudanças radicais que teria de fazer – na inimaginável quantidade de exercícios que teria de enfrentar se quisesse perder peso, nas muitas privações que teria de encarar à mesa. E lembrava que milhões de pessoas estariam acompanhando esse meu processo – será que isso jogaria contra mim ou a meu favor?

Às vésperas de entrar de cabeça na reprogramação corporal, eu me sentia meio zonzo – atordoado com a responsabilidade, assustado com o desafio e inseguro quanto ao resultado. Tinha como voltar atrás? Não tinha.

Fim da semana 1 Zeca

Semana 1
Renata

Nem meu marido SABIA...

O peso de uma mulher é uma informação
tão íntima, quase um segredo,
e de repente eu teria de subir numa balança
em rede nacional.
Socorro!

E lá fomos nós para as primeiras gravações: exames de sangue, teste ergométrico, nutricionista. E ter de encarar a balança. Meus exames estavam todos bons. Eu já esperava por isso. Sou cuidadosa com a minha saúde, do tipo frequentadora assídua do meu clínico geral.

Mas o Zeca, não. E isso me deixou preocupada na primeira semana. Os exames do Zequinha não estavam nada bons. Colesterol, glicose, ácido úrico, retenção de líquidos – enfim, todas aquelas coisas que a gente não gosta de ouvir nem entre quatro paredes. Imagine saber que esse diagnóstico vai ao ar para todo o Brasil?

O Zeca ficou tão tenso ao receber esses resultados nos bastidores que até hoje não cheguei a falar muito sobre isso com ele.

Até percebi, lá no consultório do dr. Alexandre, uma certa preocupação dele, que eu também estava sentindo. Era certa desconfiança daquilo que estava sendo dito: será que o médico estava exagerando para causar mais impacto na televisão? Claro que não era nada disso, mas essa reação, vinda de dois repórteres que, por natureza e obrigação profissional, já são desconfiados, era esperada. Mas com o Zeca foi um pouco demais...

Depois que saímos do consultório, o Zeca foi para a redação, e voltei para casa. De repente, começaram as ligações de várias pessoas do trabalho e da casa do Zeca para o meu celular, perguntando: "O que aconteceu? O médico foi grosseiro com vocês? Por que o Zeca está tão nervoso? Será que ele vai desistir? Será que agora caiu a ficha e ele vai cair fora?".

Foi aí que percebi como foi difícil para o Zeca ouvir aquelas palavras do dr. Alexandre.

E o pior ainda estava por vir: o mau humor do meu amigo. Mas sobre isso eu falo daqui a pouco.

PÂNICO NO CONSULTÓRIO

No dia seguinte, fomos ao consultório da dra. Laura Breves, a nutricionista convidada pelo Marcio Atalla para a série.

E aí quem estava em PÂNICO era eu. Havia chegado o momento de subir na balança, e eu já sabia qual seria o resultado.

Tenho uma balança no banheiro de casa. Nunca tive coragem de me pesar de porta aberta nem fechada, só trancada mesmo. É um momento muito íntimo, pelo menos para quem vive lutando contra os quilos a mais. Subir na balança revela preocupação com o peso, e eu não queria demonstrar isso para ninguém, nem para mim mesma. Aliás, eu não

Voltar a malhar foi difícil. Ainda bem que, desde pequena, sempre gostei de esportes.

> *Se o objetivo do* reality *é prestar um* serviço de saúde, *vou ficar preocupada só comigo e minha* exposição?"

queria pensar muito no assunto. Afinal, a vaidade, para os jornalistas, é quase um pecado, apesar de sermos uma classe extremamente vaidosa. Mas quando eu estava lá, trancada em meu banheiro e em cima da balança, eu pensava: "Imagine se meu marido entrar e me perguntar quanto peso? Muita humilhação".

E foi com todas essas questões na cabeça que, de repente, eu me vi no consultório da nutricionista, de frente para a balança e com a câmera do *Fantástico* ligada. Os cinegrafistas e toda a equipe técnica estavam cansados das minhas reclamações e orientações sobre os ângulos de gravação durante as minhas reportagens de rua. Eu ficava imaginando quanto eles estavam se deliciando com aquela situação constrangedora para mim.

Para enfrentar a balança, tive momentos de reflexão muito sérios. Era hora de testar na prática tudo aquilo que sempre preguei sobre o universo feminino: abaixo a autoestima diminuída, porque o valor da pessoa não se mede em quilos, a beleza de uma pessoa não é exatamente aquela que a mídia prega, e a atividade intelectual tem de vir à frente das futilidades da vida.

Eu pensava: "Se o objetivo do reality é prestar um serviço de saúde, vou ficar preocupada só comigo e com a minha exposição?". Essas ideias se cruzavam na minha cabeça a uma velocidade estonteante. E comecei a rir. Rir da situação, rir de nervosismo, rir porque rir de si mesmo é o melhor dos remédios, sempre.

Mas, no fundo, no fundo, quem conseguiu subir naquela balança sorrindo não foi a Renata pessoa física. Foi a Renata pessoa jurídica. Foi a repórter que estava começando a testar um programa de saúde.

Como nessa profissão pessoa física e jurídica às vezes se confundem, tive de me virar para a câmera e dizer uma frase para que o telespectador sentisse o que aquilo estava representando para mim, que não estava sendo fácil. E desabafei:

– Nem meu marido sabe quanto eu peso!

Sim, ele soube em rede nacional, e sempre tratou o assunto com uma delicadeza extrema, rindo da minha preocupação com um olhar que dizia: "Que bobagem! Te amo assim mesmo".

MEDO DE COMER DEMAIS
No consultório da nutricionista e na presença do Marcio Atalla, expus toda a minha ansiedade por emagrecer, a minha descrença nas dietas que as nutricionistas já tinham me recomendado e nunca funcionaram, e cheguei a lançar um desafio:

– Vou seguir tudo o que vocês me disserem religiosamente, com a responsabilidade de uma repórter que está se comprometendo com o público. Sempre segui tudo o que as nutricionistas, e os professores de ginástica que já passaram pela minha vida, disseram, mas jamais consegui efetivamente emagrecer. Eles sempre duvidavam de mim, achavam que eu não seguia à risca suas recomendações. Agora é diferente. As câmeras vão mostrar se estou fazendo tudo certo ou não. O Marcio vai me acompanhar.

E, então, brinquei:

– Acho que o desafio maior vai ser de vocês: fazer com que eu emagreça. O problema não é mais meu, é de vocês.

E aí recebi uma explicação que fez muito sentido, porque mostrou onde eu estava errando.

Há anos fazendo dieta, eu tinha medo de comer muito. Nas refeições, comia muita salada, quase nada, ou nada mesmo, de carboidrato (arroz, batata, pão) e uma proteína (carne, frango e peixe). Sempre em pequenas porções. Na sobremesa, de vez em quando uma fruta, mas tentava evitar.

O problema é que logo depois já sentia vontade de comer alguma coisa. Eu tinha vergonha de ter fome tão pouco tempo depois de comer. E beliscava. Era uma uvinha, um chocolatinho mínimo que vinha junto com o café (aliás, eu tomava café por causa do biscoitinho).

No final da tarde estava com muita fome e, como não tinha coragem de comer pra valer, a ponto de vencer a minha fome, beliscava um biscoito, um pedacinho de queijo... e assim era meu dia. Beliscando tanto, não dava mesmo para emagrecer!

O jantar normalmente era tarde da noite, e eu ia dormir de estômago cheio. Isso quando não comia compulsivamente algo doce antes de dormir.

FOME OU SEDE?

DIAGNÓSTICO DOS ERROS DE MEUS HÁBITOS ALIMENTARES:
1. Eu comia pouco e errado. Isso me deixava sempre com fome e eu "beliscava" o tempo todo.
2. O fato de eu comer pouco, pouca quantidade mesmo, tornou meu metabolismo mais lento. Ou seja, se como pouco, meu corpo se acostuma a queimar pouco. Quando ingiro uma coisinha a mais, o que acontece? Meu corpo, acostumado com aquele metabolismo, vai continuar queimando pouco. E "aquela coisinha" vai me engordar muito mais do que o normal. Essa coisinha pode ser desde uma folha de alface até uma picanha!
3. Eu estava confundindo fome com sede! Essa descoberta mudou a minha vida. Explico: eu só bebia água quando já estava com uma sede significativa. O problema é que quando a sede chega a esse ponto, significa que já estamos desidratados. E nosso cérebro faz isso com a gente: pensamos que estamos com fome, mas estamos é com sede!

Cronometrando o tempo das refeições.

4. O horário das refeições estava bagunçado. Muitas vezes eu passava várias horas sem comer. Chegava à mesa morrendo de fome e acabava comendo mais do que deveria.
5. Comer rápido demais também me fez engordar. O cérebro leva até 20 minutos para mandar a informação de que estamos saciados. Como eu comia numa velocidade avassaladora, era capaz de matar um prato de comida em menos de 5 minutos e, claro, acabava comendo bem mais do que meu corpo necessitava.
6. Exercício físico sem regularidade. Eu até fazia, mas sem regularidade. E desse jeito o exercício pouco adiantava, tanto do ponto de vista da saúde quanto do emagrecimento.

Tudo bem. Entendi os erros, mas que dieta devo seguir?

Foi quando o Marcio disse que essa palavra, DIETA, era proibida no programa dele. Dieta tem começo, meio e fim. E o que faríamos era "reprogramar nosso corpo através de uma mudança de hábitos alimentares". A proposta era, durante noventa dias, manter uma nova rotina alimentar e de exercícios físicos que aceleraria meu metabolismo e, consequentemente, diminuiria minha gordura corporal.

Tudo bem. Mas o que posso comer nesse programa?

Tudo, foi a resposta dele. Dentro dos dez passos que a nutricionista me passou, tudo. Eu até poderia não cumprir algum desses primeiros passos, mas isso teria de ser uma exceção, e nunca mais uma regra em minha vida.

A ideia de não termos um cardápio fixo para seguir era fazer com que as pessoas que estivessem nos assistindo pudessem nos acompanhar. Os cardápios que normalmente as nutricionistas recomendam a seus pacientes são muito pessoais. Serviriam para nós dois, mas não para a multidão que assiste ao *Fantástico* e que são as pessoas que queremos atingir.

ENTÃO, COMEÇAMOS ASSIM: Os dez primeiros passos para mudança dos hábitos alimentares.

1. Comer a cada 3 ou 4 horas.
2. Não beliscar nos intervalos.
3. Tomar pelo menos 2 litros de água por dia.
4. Tomar um líquido quente, um caldinho de legumes ou de feijão, antes das refeições. Isso traz saciedade mais rápido.
5. Mastigar mais os alimentos.
6. Escolher alimentos que contenham pouca gordura, mas que contenham mais fibras. Evitar frituras e açúcar.
7. Usar um relógio para controlar o tempo da refeição. Tempo mínimo de uma refeição: 20 minutos.
8. Usar pratos de tamanho padrão, que são menores, e só colocar a quantidade de comida que couber dentro da borda interna. Não vale fazer montinho!
9. Não jantar antes de dormir. Fazer a última refeição pelo menos 3 horas antes de se deitar.
10. O ideal é fazer seis refeições por dia: café da manhã, colação (que é uma frutinha ou um suco entre o café e o almoço), almoço, lanche da tarde, jantar, colação (uma fruta, um iogurte ou um achocolatado light antes de dormir).

Para quem costuma jantar tarde como eu, a dica é dividir o lanche da tarde em dois, para não ter muita fome no final do dia e também para não ficar muitas horas sem comer. Nesse caso, corta-se a colação da noite, que é substituída pelo segundo lanche da tarde.

Mas, para que tudo isso funcione, ainda falta um elemento muito importante: a atividade física.
Regra básica: no mínimo 150 minutos de exercício aeróbico por semana e exercício de força (pilates ou musculação) duas vezes na semana.
Essa era a regra básica, só pra começar. Mas, no decorrer do programa, as orientações foram se multiplicando, e pude entender o poder de transformação da atividade física na vida de uma pessoa.

METAS No fim da consulta, finalmente foram traçadas as metas:
Eu estava com 35,85% de gordura. Não estava ainda na faixa de obesidade, mas já estava com sobrepeso.
A meta era perder 10% da gordura corporal e diminuir medidas. Do ponto de vista da atividade física, a meta era tirar o corpo da zona de conforto, ou seja, fazer exercício pra valer!

PRIMEIRO DIA DE TREINO A contagem regressiva para reprogramar o corpo em noventa dias começou na academia, com a presença do Atalla, do fotógrafo do departamento de divulgação da Globo e com uma vontade enorme da minha parte de ver aonde aquilo ia dar.
Sempre fiz dieta e sempre desisti de todas elas por achar que era muito sacrifício para pouco resultado. Agora que ia seguir um programa de saúde em rede nacional, minha resistência teria que ser maior.
Disposição para exercícios e estímulo para me alimentar melhor não me faltavam. O difícil nessa primeira semana foi encarar uma roupinha de ginástica e a cara lavada diante da câmera. E não era uma câmera qualquer, era uma câmera HD! Que para quem não tem menos de 30 anos é quase um palavrão, uma afronta, um desrespeito!!! Para que tanta tecnologia? Para mostrar a menor saliência da pele, o quase invisível poro aberto, a minúscula manchinha do rosto? Ou para revelar os detalhes daquela maquiagem que foi feita para disfarçar e esconder as imperfeições, e não para aparecer? Sim, na televisão o bacana é você estar carregada de maquiagem sem parecer que está maquiada, enten-

deu? Isso só é possível com um bom maquiador – e com uma tecnologia anterior à tecnologia da câmera HD.

Para os diretores do quadro, todos homens, a resposta o tempo todo foi uma só: "É um reality! Não é uma reportagem. Por isso você tem de mostrar sua vida real! Nada de maquiagem na academia, que vai ser ridículo. Nada de maquiagem na rotina do dia a dia. Tem de ser a Renata de verdade". E eu respondia, brincando: "Haja terapia!". Já faz tempo que me dei alta do divã. Mas os dez anos com a minha terapeuta Gladis Blum se fizeram presentes, consciente ou inconscientemente, nesses três meses. Desde a primeira semana, mergulhei nessa história de ser personagem de reality. E, por mais que a gente conheça o veículo, quando somos colocados no meio do furacão, não há como escapar. Sentimos todos os seus efeitos.

Foi logo na primeira semana também que percebi que tinha uma grande vantagem e uma grande desvantagem em relação ao Zeca.

A desvantagem é o fato de eu ser mulher. O Atalla fez questão de me preparar para uma possível frustração, já que os homens perdem peso mais rápido e mais facilmente do que as mulheres. Ainda mais uma mulher na minha faixa etária, 47 anos, quando o metabolismo já está em marcha lenta.

A vantagem foi ter uma cozinheira que se transformou em muito mais do que uma funcionária: virou amiga e aliada. A Célia seguiu à risca as sete primeiras dicas da nutricionista. Cuidou de mim com muito carinho.

E a adesão do Gustavo, meu marido, facilitou muito a minha vida. Sim, ele começou a fazer o programa *Medida Certa* (meio que do jeito dele, sem seguir exatamente tudo o que fora proposto). Melhoramos nossa alimentação juntos e voltamos a um esporte que já tínhamos praticado no passado e que nós dois adoramos: o ciclismo.

Aliás, voltar para o ciclismo foi a primeira grande mudança na minha vida nesses noventa dias de reprogramação do corpo. Mas isso eu vou contar melhor lá na frente.

Agora quero detalhar nossa primeira semana, quando passamos por um dos momentos mais difíceis: o mau humor do Zeca.

"*Minha* desvantagem *é o fato de ser* mulher. *O Atalla me preparou para uma possível* frustração: *o* Zeca, *por ser homem, perderia peso mais* facilmente *do que* eu!"

FICA A DICA
Comer rápido demais te faz engordar. O cérebro leva até 20 minutos para registrar que o estômago está cheio.

Era visível, ele até percebia, mas não se continha. Isso era assunto na redação, entre a nossa equipe e, pior, entre o público. E logo o Zeca, que é a pessoa mais bem-humorada que eu conheço. Sim, ele acorda de bom humor! E cedo! Isso para mim é algo impossível: dormir pouco e acordar bem-humorada? Impossível.

E por que ele estava daquele jeito?

Nosso acordo não era esse. Quando eu estava em dúvida se aceitava ou não o desafio, o Zeca me convenceu com a sua frase: "Vamos levar no bom humor. Vamos nos divertir!". E trabalhar me divertindo é algo a que não resisto. Poucas profissões permitem isso. E esse é um daqueles projetos em que se pode juntar o útil ao agradável.

Mas não com o Zeca de mau humor. Será que ele tinha se arrependido? Se isso acontecesse, o que eu ia fazer? Mas até disso eu tirei uma lição. Os homens suportam menos as privações da vida. Nós, mulheres, realmente aguentamos melhor ouvir a expressão "não pode", e é isso que nos faz muito mais fortes do que eles, com todo o respeito, Zequinha.

ROTINA DE EXERCÍCIOS

Eu não era sedentária. Já fazia pilates havia um ano, de duas a três vezes por semana, e às vezes corria, às vezes fazia uma aula de spinning... O problema era esse "às vezes", essa falta de regularidade. Numa semana eu fazia, daí ficava duas ou três sem fazer. Tinha sempre uma desculpa, e a falta de tempo era a principal delas.

> *"Querido* corpo, *a partir de agora,* todos os dias, *você vai receber uma boa dose de exercícios físicos.* Mexa-se!*"*

A proposta do *Medida Certa* é clara: você tem de fazer alguma atividade física seis vezes por semana e tirar um dia para descanso. Para quem é sedentário, bastam 150 minutos semanais, ou seja, meia horinha de atividade aeróbica em cinco dias da semana, para a pessoa deixar de ser sedentária.

Meu objetivo não era só deixar de ser sedentária, era queimar gordura, dar um outro padrão de comportamento para meu corpo, fazê-lo entender que tinha de queimar muito mais calorias e estocar muito menos gordura. Mas para isso eu tinha de mudar as mensagens que lhe enviava. E comecei dizendo: "Querido corpo, a partir de agora,

"O ZECA acabou me convencendo: Vamos nos divertir! Vamos levar no bom humor!"

todos os dias, você vai receber uma boa dose de exercícios físicos. Mexa-se!".

E logo na primeira semana ele respondeu com cansaço, mas, curiosamente, com mais disposição. O Marcio foi colocando exercícios diários na minha rotina – com pouca carga, mas com um bom "estímulo". Em outras palavras, não comecei malhando pesado, mas também não sucumbi ao primeiro sinal de cansaço.

Até cheguei a fazer uma sessão de musculação com o Marcio, mas, no meu caso, ele disse que eu poderia continuar só com o pilates.

Nessa primeira semana, aprendi algumas novidades do mundo da atividade física e desmistifiquei outras.

Meu primeiro dia na academia: foi dada a largada!

Aprendi, por exemplo, que já existem estudos mostrando que a pessoa que se exercita ouvindo música acaba rendendo de 15% a 20% mais! A música serve mesmo como um grande estímulo.

E, para meu susto, descobri que mais importante do que o alongamento é o aquecimento antes da malhação. Segundo o Marcio Atalla, essa história de que o alongamento antes da atividade física evita lesão é mito. O importante é você aquecer a musculatura antes de malhar. Alongar é sempre bom, mas pode ser a qualquer hora do dia, não necessariamente antes ou depois da atividade.

E a mensagem que fizemos questão de passar para

os telespectadores fica para você também, leitor: se não tiver tempo ou dinheiro para frequentar uma academia, você pode caminhar, pedalar ou correr na rua, no parque. Não tem desculpa.

Ou, na falta de tempo, troque o elevador pelas escadas, pare o carro ou desça do ônibus dois pontos antes para andar no caminho para o trabalho ou do trabalho para casa.

Enfim, aproveite ou crie oportunidades para seu corpo se movimentar.

Fim da semana 1 Renata

Semana 1
Atalla

Sem exercícios, muitas MORTES

A falta de atividade física está diretamente associada a uma série de doenças que podem abreviar a vida de milhares de pessoas

O ponto-chave e mais importante do programa que desenvolvi é a atividade física. Para entrar na medida certa, a pessoa precisa se movimentar. Esse é o caminho para ter mais saúde e disposição.

A recomendação para o Zeca e a Renata era cumprir, no mínimo, 150 minutos de atividades aeróbicas na semana e mais dois dias de atividades para ganho de massa muscular.

Estima-se que a inatividade física seja responsável por 10% a 16% dos casos de diabetes e 22% das doenças isquêmicas do coração. Nos Estados Unidos, o sedentarismo, associado a uma dieta inadequada, acarreta cerca de 300 mil mortes por ano, segundo informações do Center for Disease Control and Prevention (CDCP).

De acordo com o programa da Organização Mundial de Saúde

(OMS) Estratégia Global para Dieta, Atividade Física e Saúde, é recomendado que indivíduos tenham níveis adequados de atividade física e que esse comportamento seja mantido para a vida toda. Diferentes tipos de atividade física regular, de intensidade moderada, na maioria dos dias da semana, reduzem o risco de doenças cardiovasculares, diabetes, câncer de cólon e de mama.

A inatividade física representa um risco de desenvolver doenças crônicas, além de acarretar um custo econômico ao indivíduo, à família e à sociedade. Segundo dados do CDCP, só nos Estados Unidos, em 2000, o sedentarismo foi responsável pelo gasto de 76 bilhões de dólares em despesas médicas, cifras que mostram que o combate à falta de exercícios merece prioridade na agenda da saúde pública.

Fim da semana 1 Atalla

Semana 2
Zeca

Nunca é fácil COMEÇAR

Pular corda, tomar muita água, correr, comer pouco - minha vida estava mudando mesmo

Se alguém lhe disser que entrar numa reprogramação corporal é fácil, não acredite. Qualquer coisa que faça você sair daquilo a que está acostumado vai ser chato – e você (conscientemente ou não) vai inventar mil obstáculos para não seguir em frente. Eu sei que é assim porque vivi isso na pele.

E as mudanças que estavam sendo propostas nem eram tão radicais. Na alimentação, por exemplo, a mais incômoda delas, talvez, foi ter de tomar muita água todos os dias. De resto, era só diminuir as quantidades dos alimentos que eu comia, aumentar um pouco a quantidade de legumes e prestar um pouco mais de atenção às frituras (além de caprichar um pouquinho mais nas fibras). Nenhum sacrifício – mesmo!

Na parte dos exercícios físicos, a exigência era um

pouquinho maior (já falo sobre isso). Tudo, porém, dentro do possível. Mas quem disse que eu queria mudar?

Ou melhor, eu queria. Afinal, não foi com essa intenção que entrei no *Medida Certa*? Eu queria mesmo! Se eu já estava incomodado com alguns aspectos da minha saúde desde os últimos exames, sintomas como cansaço, indisposição e desconforto geral começaram a aparecer depois da visita ao dr. Alexandre. O que me deixou mais determinado ainda a mudar de silhueta foi a gravação da vinheta do quadro para o *Fantástico*. Colocar aquela roupa cinza colada no corpo e ver que forma ele tinha, sem o disfarce das peças que usava no dia a dia, foi uma experiência muito traumática.

CAMISA FOLGADA E COLORIDA Não é fácil admitir – e muita gente faz isso sem perceber –, mas, à medida que vamos engordando, passamos a usar roupas que disfarcem nossas novas formas. Vai me dizer que nunca fez isso? Enquanto as peças mais justas – aquelas que lhe caíam tão bem e faziam você se orgulhar do seu corpo – vão ficando nas gavetas mais altas ou penduradas lá no fundo do armário, novas roupas, mais largas e folgadas, passam a fazer parte do seu vestuário: calças que não marcam tanto, uma camisa mais solta com estampa colorida, paletós e coletes que você pode jogar sobre outras roupas e "redesenhar" a sua silhueta. E muito preto, claro! Esses pequenos truques ajudam você a ficar mais feliz diante do espelho – e quase não perceber que a única parte do seu corpo que ainda não está coberta, o rosto, também já está um pouco mais cheinha.

Para gravar a vinheta do *Medida Certa*, a ideia era nos vestir, a mim e à Renata, com uma malha colada que, em contraste com o fundo verde do cromaqui, permitiria ao pessoal dos efeitos especiais aplicar uma série de desenhos "biônicos" em cima de nosso corpo. Seria tudo ótimo se os tais efeitos especiais também disfarçassem as minhas protuberâncias. Mas a câmera não mente jamais: recortado contra a parece verde, havia um corpo que sobrava – para todos os lados. Sem um paninho para disfarçar, o que eu via no monitor era o retrato do abandono a que eu tinha me relegado – e a saída foi usar aquilo como um reforço para sair daquele estado. O programa *Medida Certa* estava começando, e eu estava disposto a levar tudo muito a sério.

Comecei pelo meu novo café da manhã: frutas, iogurte, algum cereal e uma fatia de pão bem fininha, para "enganar"... Preparei a refeição rapidamente e tirei uma foto (hábito que adquiriria nos três meses seguintes). Olhei e achei tudo sem graça. Colorido, sim. Com cara de coisa saudável, sim. Mas confesso que a perspectiva de só comer aquilo (com pequenas variações) por noventa dias não me animava.

Até então, eu não me importava com o que comia quando sabia que iria gastar essas calorias lá na frente. Era um raciocínio que sempre tive – e que, como aprendi com o Atalla, não é muito positivo.

PRIMEIROS MINUTOS COM A CORDA

Foi pensando nisso que encarei o primeiro treino com o Atalla numa academia do Rio. Renata já havia passado por essa "estreia" e não estava com uma cara exatamente descansada. O primeiro exercício ao qual fui apresentado – não sem um olhar irônico da Renata – foi o de pular corda. Pular corda? Sabe quando eu tinha pensado nisso como exercício? Nunca. Pular corda, para mim, era uma atividade lúdica, coisa de criança.

Você deve estar achando que é fácil. Então, arrume qualquer pedaço de corda – ou um fio que não machuque – e dê uma puladinha agora, só para ver. Garanto que, se você não tiver o costume de fazer isso (como eu não tinha até então), trinta segundos já serão suficientes para derrubar você! Foi essa também a minha primeira impressão – e quando o Atalla falou que eu deveria tentar chegar aos cinco minutos, minha reação natural foi rir. Fiquei tão perturbado com a ideia que até me esqueci de perguntar como a Renata tinha se virado com a corda (só mais tarde eu descobriria que ela também não tinha nenhuma intimidade com o exercício).

Quando vi, já estava em cima do aparelho que se tornaria uma espécie de "segundo lar" nos meses seguintes: o transport! Para os não iniciados, aqui vai uma definição rápida: uma máquina de exercícios que permite que você reproduza os movimentos de uma corrida sem o impacto que uma esteira (ou mesmo o chão) oferece às articulações. É como se você andasse depressa, muito desengonçado. Descrevendo assim parece meio bobo, mas não é. Apenas vinte minutos de transport já dão um bom suadouro, como pude comprovar. Até então, eu só havia usado o

> **DICA DO ZECA: LISTA DE MÚSICAS PARA CORRER**
>
> "Wild young hearts", de The Noisettes
> "Tour de France", de Kraftwerk
> "Fool's gold", de Stone Roses
> "Elements", de Lemonjelly
> "Black math", de The White Stripes
> "Baby Said", de Hot Chip

aparelho em intervalos entre exercícios de musculação, durante três ou cinco minutos no máximo. Agora que enfrentava um tempo maior, eu já estava quase desistindo de todo o programa *Medida Certa*! Marcio Atalla ficava ali, na frente do aparelho, jogando conversa fora para me distrair, mas tudo o que eu queria era que o relógio andasse mais depressa...

NEM O IPOD ME SALVOU
Meu único consolo, como sempre, foi a música. Já imaginando que passaria horas fazendo um exercício repetitivo – perdão, Marcio, aeróbico! –, nesse primeiro dia fiz uma primeira seleção de músicas para ouvir no meu iPod. Porque sem música não dá, não é mesmo? Até admiro as pessoas que conseguem "olhar para dentro" e se concentrar durante uma corrida (ou qualquer outro exercício de longa duração), mas não sou uma delas. Meu talento para a dispersão é famoso – e, se não tiver música para me distrair, acabo me aborrecendo e fazendo o exercício de má vontade.

Não importa o gênero – isso de que existe um tipo de música mais adequado para correr ou para se exercitar, idealmente uma batida anônima com alguns vocais dispersos, não é verdade. (Quem faz aquelas seleções musicais das academias? – fala sério!) Você pode correr com samba, com pagode, com heavy metal, com música sacra – não importa. É você que escolhe o que vai empurrar o seu corpo na hora do exercício!

Mas, mesmo com todo o meu empenho em escolher a melhor trilha sonora, saí acabado desse primeiro dia de treino. E você pode imaginar o estado em que acordei no dia seguinte. E no outro... E no outro também! Preciso dizer que a preguiça era maior a cada dia.

Já falei sobre a dificuldade das primeiras semanas, mas nada – nada – é pior do que os primeiros dias. Nada parecia me dar prazer – só tirar! Mesmo a lição mais preciosa que aprendi até agora – cortesia da nutricionista Laura Breves –, de que devemos nos alimentar a cada três horas (para deixar o metabolismo sempre funcionando), não me animava.

SURPRESA: VINHO TINTO
Tenho um problema com aquelas barras de cereal doces – todas são doces demais (quando não vêm com chocolate ou uma espécie de chocolate). Ainda não havia descoberto as barras salgadas – e nem sempre havia uma fruta por perto (se bem que, na terceira banana do dia, ela começa a ter o mesmo gosto). Então, nem o lanchinho me deixava feliz.

Até que, na quarta noite depois de ter começado o projeto, fui jantar na casa de uma amiga, que, desavisada (ela não tinha se ligado que eu já havia começado a minha reprogramação corporal), me recebeu na porta de sua casa com uma garrafa de vinho tinto aberta! Não tinha como dizer não. Ou melhor, claro que tinha, mas, com as privações (e agruras) desses primeiros dias, achei que estava merecendo "um carinho". Eu tinha combinado com a nutricionista que só iria beber uma vez por semana. Ainda estávamos na quinta-feira – será que ficaria só nisso até domingo? Dei a mim mesmo um voto de confiança e mandei dois copos de vinho para dentro – que acompanharam umas deliciosas endívias assadas e uma costeleta de cordeiro. (Nada de sobremesa, que, aliás, não faria muita falta, pois não gosto muito de doces.)

Em comparação com o que eu estava acostumado a beber, dois copos de vinho eram realmente apenas um aperitivo. Em algumas refeições, eu chegava a consumir quase uma garrafa sozinho. Então, eu diria que foi uma quantidade moderada. Mas, quando cheguei em casa para dormir, não me sentia muito bem. Era menos uma reação física do que psicológica. Eu estava me sentindo culpado por ter quebrado o pacto (de abstenção) que havia feito comigo mesmo. Não foi uma boa noite de sono, e, quando acordei no dia seguinte, contei tudo isso para a câmera.

CONFESSIONÁRIO FUNCIONA Era estranho ter de usar esse confessionário de vez em quando. A gente se acostumou a ver isso nos reality shows – que já fazem parte da TV brasileira –, mas nunca imagina que vai passar por um deles. É como se só os outros tivessem coragem de encarar a câmera e falar umas verdades. Quando tive de fazer isso, nesse primeiro desabafo, me senti estranho, mas ao mesmo tempo aliviado. Pude entender o que leva um participante de um reality a se abrir para um público desconhecido – é quase um pedido de ajuda.

E quando falei que estava irritado, desanimado e com certo arrependimento de ter aceitado o desafio, no instante em que desliguei a câmera comecei a me sentir melhor. Já não pensava mais em largar tudo, mas em encarar a rotina do fim de semana, que, no meu caso, é de muito trabalho, e não de lazer.

Como era o primeiro fim de semana do *Medida Certa*, toda a equipe ainda estava se familiarizando às mudanças na maneira de trabalhar. Parte dos colegas estranhava as câmeras que me seguiam, e muitos, talvez acostumados com os equipamentos circulando a nossa volta, brincavam com naturalidade com a nova situação. Foi o que fez minha colega (e amiga) Patrícia Poeta, que, com ironia, me ofereceu um pão de queijo (que acabara de entrar na lista de alimentos "suspeitos"), uma de tantas outras provocações da equipe de trabalho. Mas, assim como eu esperava incorporar todas essas mudanças, eles acabariam se acostumando a ver um Zeca diferente – bem como uma Renata diferente – no dia a dia.

Eu só pedia que esse novo equilíbrio viesse logo...

Fim da semana 2 Zeca

Semana 2
Renata

Alívio da ESTREIA

Estava apreensiva com a reação do público, mas um bom termômetro era quem assistia à reportagem no estúdio. Eles se divertiam! Ufa!

Fui ao estúdio apresentar a estreia do quadro ao lado do Zeca e da Patrícia Poeta. Não havia exatamente um texto, apenas uma orientação do que deveríamos dizer sobre o quadro. Era o momento de convencer o público a nos acompanhar nesse desafio.

Eu disse o que o tempo todo vinha dizendo a mim mesma: "Serei personagem de um reality show, mas em nenhum momento deixarei de ser repórter. Em nenhum momento deixarei de fazer as perguntas que, acredito, quem está em casa também gostaria de fazer".

Mas tinha medo da reação do público diante da revelação do meu peso: 80 quilos e 300 gramas. Seria eu chamada de "repórter gorda" para sempre? Ia virar piada nas redes sociais da internet?

"Cabeça erguida, Renata!", era só o que eu pensava. "Estar acima

do peso não é vergonha para ninguém. A maior parte dos brasileiros está acima do peso." Foi com essas frases na cabeça que assisti à estreia do *Medida Certa*. Assim que o quadro entrou no ar, tive uma sensação de alívio.

O primeiro parâmetro é a opinião do pessoal do estúdio. E todos estavam rindo e se divertindo. Os ponteiros do Ibope também mostraram uma aprovação do público. No Twitter, as pessoas mandavam mensagens de apoio. Ufa! Estreamos. Temos mais onze semanas no ar pela frente.

E AÍ, ESTÃO MALHANDO?
Começamos a segunda semana com as pessoas na rua perguntando: "Já emagreceu? Olha o regime, hein!".

Caramba, uma semana no ar, e as pessoas já cobravam resultados! Já era possível sentir na rua que a repercussão era enorme. A expectativa sobre o que iria acontecer com a gente era imensa. E detesto lidar com as expectativas dos outros.

Minha cabeça estava cheia de perguntas: "E se eu não corresponder às expectativas das pessoas? E se emagrecer menos do que todos acham que eu deveria? Afinal, quanto tenho que emagrecer? Será que na minha idade, próxima dos 47 anos, ainda é possível reprogramar o corpo, como diz o Marcio?"

"E se eu ficar doente e não conseguir continuar? E se tiver uma compulsão absurda por doces e começar a comer escondido? E se tiver a compulsão por doce e não comer o doce, vou surtar? Vou enlouquecer?"

"A comida está muito ligada ao emocional. Será que corro o risco de ficar deprimida? Nervosa? As pessoas que trabalham comigo estão torcendo a favor ou contra?"

Eu achava que havia gente torcendo para eu não conseguir... mas deixa isso pra lá.

ENFRENTANDO O DIA A DIA
Desde o início do quadro, decidimos, com a direção do programa, que em nenhum momento eu e o Zeca sairíamos da reportagem.

E logo na segunda semana do quadro lá estava eu na ponte aérea Rio-São Paulo, acompanhada de duas câmeras: uma para gravar a reportagem, outra para gravar o reality, a minha vida real.

Como não gosto de voar, comia o lanchinho do avião até como meio de me distrair. Agora não poderia mais. Foi engraçado o comissário se aproximar e, com um sorrisinho malicioso, insistir para eu aceitar um picolé. O público começava me testar.

Quando cheguei a São Paulo, uma equipe me esperava. O cinegrafista era o Albertinho, que nem queria saber da matéria que teríamos pela frente. Ele se identificou com o quadro e queria contar a sua história: por quantas dietas já havia passado, a reação do corpo dele.

Eu percebi que as pessoas amam falar de suas experiências com dietas.

Albertinho explicou que só come "porcarias" (palavras dele) e, por causa disso, infartou aos 33 anos. Gostou da estreia do quadro e queria informações sobre a nossa "dieta". Assim como ele, muita gente começou a me fazer essa pergunta: "O que você pode e o que não pode comer? Como é a dieta de vocês?".

Eu não sabia responder. Não sabia mesmo, porque no programa do Atalla não existe dieta no padrão a que as pessoas estão acostumadas, com um cardápio que aconselha o que comer em cada refeição. Não existe a fórmula mágica que as pessoas tanto procuram!

Mas, então, podia comer o quê? Confesso que eu mesma, no final dessa semana, fui cobrar o Atalla: "Marcio, as pessoas querem saber o que podemos comer".

Ele me respondeu que podia comer de tudo, nada era proibido, mas gorduras, doces e bebidas alcóolicas tinham que ser exceção, enquanto fibras, bons carboidratos e proteínas nas porções corretas tinham que fazer parte do dia a dia, ser a "regra" da alimentação.

Fiquei preocupada. Afinal, será que o público teria "bom-senso" para entender o tamanho das porções? Para entender o que é carboidrato, o que é proteína, e aprender a fazer refeições "balanceadas"?

Marcio Atalla foi irredutível. Uma mudança de hábitos alimentares exige que a pessoa aprenda a fazer as melhores escolhas na hora de se alimentar, dentro daquelas regras de que falamos na primeira semana. Ainda tínhamos muito tempo pela frente para fazer as pessoas entender isso. Era o nosso objetivo!

Disciplina: um suco depois da ginástica para repor as energias, e o apoio da filha Marcela, mostrando orgulhosa o prato da mãe, na medida certa!

Mas, primeiro, eu é que tinha de entender. E estava difícil. Eu tinha muitas dúvidas.

PROVA DE RESISTÊNCIA
Cheguei ao consultório da psicóloga que iria entrevistar, e aconteceu o de sempre: "Aceita um cappuccino? Um biscoitinho?". Em todo lugar a que chegamos para fazer uma matéria, alguém oferece alguma coisa para comer. Será que eu podia? Na dúvida, recusei.

E a entrevistada ficou insistindo, com aquelas palavrinhas que as pessoas adoram dizer quando estão diante de alguém de dieta: "Mas nem UM cappuccino pode? Nossa, que difícil! Mas um só não engorda...".

E eu só no sorrisinho, torcendo para ela acabar logo com aquela tortura. Como as pessoas gostam de ver alguém "burlar" o regime! Rola certo sadismo nisso.

Final da entrevista, sigo para o hotel sentindo fome. Ou seria sede? Ai, meu Deus, como saber?

Chego ao hotel e encontro o Atalla me esperando, e perto dele, no lobby, um carrinho conhecido como "carrinho das delícias", que fica ali para dar as boas-vindas aos hóspedes. Não é difícil imaginar o que havia lá. Bolos, biscoitos, pães, frios, salgadinhos... e frutas.

Os olhos da Marcela, nossa fiel escudeira, produtora do quadro, que cuidava de todos os detalhes de nossa gravação, brilhavam. Para ela, quanto mais situações difíceis eu e o Zeca encontrássemos pela frente, melhor seria a gravação! Senti que ela torcia para eu devorar aquelas delícias e, ao mesmo tempo, para que eu resistisse. E com a voz mansinha, mansinha, ela perguntou:

– Você vai conseguir resistir? Tá difícil, Renata? Por quê?

– Arghhhhhh...

Comecei a usar uma tática: pensar antes de me alimentar. Diante de uma tentação, comecei a chamar a razão. Se comesse com emoção, não sobraria nem um chocolatinho naquele carrinho.

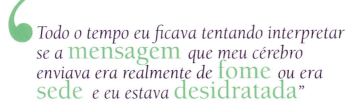

"Todo o tempo eu ficava tentando interpretar se a mensagem que meu cérebro enviava era realmente de fome ou era sede e eu estava desidratada"

QUEBREI A REGRA Digo ao Atalla que estou na dúvida se o que estou sentindo é fome ou é apenas meu cérebro tentando me enganar porque estou desidratada.

Ele pergunta qual foi a última vez que eu havia comido alguma coisa. Já fazia mais de quatro horas. Ou seja, a regra que manda comer de três em três horas, ou de quatro em quatro, tinha de ser respeitada! Era fome, sim. Mas como matar essa fome diante do "carrinho das delícias"?

A primeira coisa que ouvi é que NUNCA devemos chegar a ter muita fome. Porque, se ficarmos com fome, vamos exagerar quando estivermos diante da comida, ou de um carrinho de delícias como aquele. Seria o equivalente a uma vitrine de confeitaria. E é certo que, com muita fome, cresce muito o risco de fazermos as piores escolhas na hora de nos alimentarmos.

Percebi imediatamente que isso é verdade. Se o Marcio não estivesse ali, provavelmente eu não teria resistido ao festival de pães, queijos gordos e doces que estavam a minha frente.

Preferi que ele próprio me servisse. Ele fez um prato de frutas. E explicou: "O corpo pode e deve entender que você tem 22 dias saudáveis e sete de exceções. Por isso, nada está proibido. Mas, nesse primeiro momento, eu tinha de exigir no mínimo 22 dias de alimentação saudável. Sem exceção".

A próxima lição ele me daria no quarto do hotel, e lá fomos nós com toda a equipe.

KIT DE GINÁSTICA PARA VIAGENS Uma corda elástica, uma bolinha, e você tem tudo de que precisa para driblar a falta de tempo, de espaço e de vontade de se deslocar até uma academia de ginástica.

O Marcio me passou uma série de exercícios que eu podia fazer no quarto de hotel durante minhas viagens a trabalho, mas que qualquer um pode fazer em seu próprio quarto ou na sala de casa.

Atalla me passou uma série de exercícios para fazer num quarto de hotel.

Fim da semana 2 Renata

Semana 2
Atalla

Nada de malhar em JEJUM

Não ajuda a emagrecer e pode levar à perda de massa muscular

Minha primeira dica para você é: jamais malhe em jejum. Esse hábito diminui o rendimento e ainda pode causar mal-estar, hipoglicemia e até desmaio. Sem falar que não emagrece mais. Quando alguém está muitas horas em jejum ou come errado, o corpo passa a metabolizar massa magra, ou seja, perde músculo. O ideal é seguir uma alimentação balanceada, que contenha todos os grupos de alimentos.

Durante a execução dos exercícios físicos em jejum, o nível sanguíneo de glicose (carboidrato) pode estar muito baixo, condição conhecida como estágio inicial de hipoglicemia. Nessa hora, as proteínas passam a ter uma importante participação no metabolismo e na obtenção de energia, algo que não é recomendável, porque perdemos massa muscular.

Para usar a gordura como fonte de energia, dependemos da presença do ácido oxalacético, produto derivado da glicose (carboidrato). Sem esse derivado da glicose não há utilização de gorduras. E, se o exercício prosseguir, haverá produção de corpos cetônicos, responsáveis pela acidose metabólica e pela fadiga muscular.

Fim da semana 2 Atalla

Semana 3
Zeca

Almoço de MÃE

Apesar de dona Maria Inez ter feito "aquele" rosbife, um peixe assado com um inofensivo (mas gostoso) molho me esperava

Toda família tem um prato que é uma espécie de assinatura, uma comida cuja receita ninguém sabe direito de onde veio, mas que parece fazer parte da história da família, agrada a todos e deixa todo mundo satisfeito, pronto para tirar um cochilo no domingo à tarde. Eu sei, porque também vivi isso – pelo menos enquanto tive as tardes de domingo livres (isto é, antes de vir trabalhar no *Fant*, claro). Entre os carros-chefe da culinária da minha mãe – um estrogonofe supremo, um arroz egípcio com galinha, uma carne-seca com paçoca –, o campeão absoluto sempre foi um rosbife especial.

Não vou entrar em muitos detalhes sobre ele agora, mas quero adiantar que dar de frente com um prato desses logo na terceira semana de uma reprogramação do

corpo é um desafio e tanto. E tive de resistir bravamente. O fato de o tal rosbife ter sido preparado pela minha mãe, como uma espécie de provocação durante um almoço inocente na casa dela, só tornou essa terceira semana do *Medida Certa* mais delicada. As brincadeiras com comida já estão em todo lugar – uma vez que os dois primeiros episódios da série provaram ser imensamente populares. Mas dentro do seio da minha própria família?? Traição!!

Nessa terceira semana do projeto, eu e Renata estávamos apenas nos acostumando à fiscalização geral. Nas ruas, as pessoas já começavam a brincar com a gente sobre nossos exercícios e hábitos alimentares, não exatamente oferecendo algo para comer, mas controlando de maneira simpática o que consumíamos, se estávamos nos exercitando. E nós íamos reagindo no improviso.

FISCAIS POPULARES

Logo na segunda-feira, por exemplo, ao jantar com amigos em um restaurante em São Paulo, o garçom brincou comigo: "Para o senhor não vou nem mostrar a carta de vinhos, porque o senhor não pode tomar...". Dois dias depois, quando fiz uma compra simples de supermercado para o meu apartamento no Rio de Janeiro, mesmo depois de ter passado vários cereais, fibras e frutas, a caixa não se conteve e perguntou: "Seu Zeca, tem certeza de que o senhor vai levar esse pote de requeijão?" – sem nem ter reparado que era light.

Algo me dizia que essa seria a nossa rotina nas próximas semanas ou, melhor, durante muito tempo, o que

O famoso rosbife da dona Maria Inez! Delícia...

"Uma DELÍCIA, mas que agora não posso provar"

só aumentava minha responsabilidade diante do público e me fazia, consequentemente, às vezes exagerar (para menos) na alimentação e (para mais) nos exercícios.

Naquele fim de semana, certo de que meu corpo daria conta, fiz não apenas uma corrida em volta da lagoa Rodrigo de Freitas, no Rio de Janeiro, mas duas: uma no sábado e outra no domingo. Eu ainda não completava o circuito completo correndo: dos 7,5 km de percurso, fazia 4 km correndo, andava 2 km e depois dava uma puxadinha no final, no 1,5 km que faltava. O combinado com o Atalla era que até o final do projeto eu fizesse a distância toda no pique, mas, por enquanto, esse ritmo já acabava comigo.

Reclamei que minhas pernas – e todas as suas articulações, inclusive na bacia – estavam doendo muito (claro, estavam sendo muito forçadas). Até que o próprio Atalla veio com a solução: ele apareceu em casa, no Rio, com um kit que tinha um pesinho e uma corda. E montou para mim um circuito de exercícios que resolvi batizar de "circuito das trevas"! Era uma rotina bem bolada: flexão de pernas, de braços, abdominais, uma trabalhada em bíceps, outra na coxa – e uma puladinha de corda (como sempre) no final. A primeira sequência eu conseguia terminar sem susto. O problema era que ele queria que eu fizesse três seguidas e fosse aumentando com o tempo. Entendeu agora por que escolhi o nome de "circuito das trevas"?

Fora a brincadeira, a intenção era das melhores. O que o Atalla queria – e é uma dica importante – era que a gente não ficasse sem se mexer. Ah, não teve tempo de ir à academia? Bem, tem um circuitozinho te esperando em casa. Renata também recebeu uma série de exercícios que se pode fazer em qualquer lugar – até mesmo em um quarto de hotel. (Para quem viaja bastante, como a gente, essa é uma dica preciosa.) E assim não teríamos desculpas para não fazer exercícios. Se tivéssemos oportunidade, partíamos

A lagoa Rodrigo de Freitas, no Rio de Janeiro, passou a ser meu cenário favorito de exercícios. Quase 8 quilômetros para encarar pelo menos 3 vezes por semana.

Entre os exercícios de academia, o meu favorito é transport que permite trabalhar pernas e braços ao mesmo tempo.

para a corrida. Sem espaço (e sem tempo), apelávamos para o circuito.

E LÁ ESTAVA ELE SOBRE A MESA
Se a atividade física estava resolvida, a alimentação, pelo menos nessa fase que chamo de introdutória, era um problema para mim. Ainda mais quando você não está totalmente acostumado a viver sem as "delícias" que sempre comeu – e que nunca pensou duas vezes se lhe fariam mal ou não. Como o rosbife da minha mãe!

Quando pensamos em gravar lá, a primeira ideia era mostrar para as pessoas como seria possível driblar um almoço na casa da mãe. Por mais que compre a ideia de que o filho (ou a filha) está de dieta, mãe sempre dá um jeitinho de fazer "uma coisa mais gostosa" para a sua cria. A desculpa é sempre a mesma: só um pouquinho não vai fazer mal. Sabendo disso, eu já esperava os quitutes de sempre quando combinei de passar na casa de dona Maria Inez, mas queria mostrar que tem sempre uma salada – ou um pouquinho de arroz e feijão para passar por cima daquela lasanha. O que eu não esperava era que minha mãe me recebesse com um golpe tão baixo: ela havia preparado simplesmente o seu famoso rosbife – como eu disse, o clássico da família!

Hoje, depois da repercussão do *Medida Certa*, sua receita já nem é mais segredo. Redes sociais foram criadas para descobrir como fazer o prato em casa, blogs tentavam desvendar o mistério, pedidos de telespectadores do *Fantástico* não paravam de chegar para saber os ingredientes – e até Ana Maria Braga não resistiu: cedendo aos pedidos de seu público, convidou a minha mãe para o programa *Mais Você*, só para fazer, diante das câmeras, o seu famoso rosbife (se bem que eu diria que a consagração ocorreu um dia, nas semanas finais do *Medida Certa*, quando entrei em um restaurante a quilo e vi um dos pratos do bufê com a seguinte plaquinha: "Rosbife da mãe do Zeca Camargo"!!!). Mas, para quem porventura ainda não experimentou essa delícia – e é mesmo uma delícia, mas é também uma bomba calórica –, vou dizer apenas que se trata de uma generosa peça de carne, preparada com muita cebola, bacon, conhaque, creme de leite... enfim, uma megatentação, que estava sendo oferecida por ninguém menos que ela: mamãe.

Tudo, claro, não passava de uma brincadeira. Ela mesma havia combinado com a produção do quadro de fazer uma espécie de pegadinha comigo. A princípio, ela me mostraria esse seu clássico, mas depois, diante de meus previsíveis protestos, viria com um gostoso (e leve) peixe assado, com o "inocente" molho de tomate. Mais uma manifestação do humor da minha mãe, com o qual aprendi a conviver e me divertir. (Muita gente que conhece bem a família diz que eu e meus irmãos puxamos esse seu lado brincalhão.) Maria Inez nasceu espirituosa – e eu mesmo nunca tenho certeza de que ela esteja falando sério ou simplesmente brincando. (Antes de eu chegar, ela olha para a câmera e "me entrega", dizendo que meu corpo grande disfarça meu peso, mas que quem já me viu de calção sabe que estou acima do peso. Obrigado, mãe!)

Nem toquei no rosbife – vontade não faltou, tenho de admitir. O peixe – a opção saudável – estava uma delícia, e consegui administrar a tentação. Conversamos um pouco – de mãe para filho –, e ela, que me conhece bem, me achou meio deprimido. Perguntou se era por conta da dieta, e respondi que estava mesmo meio mal-humorado. De fato, a irritação da primeira semana de *Medida Certa* parecia ter dobrado, e eu não estava sabendo administrar isso. Ainda acho chato não poder comer tudo o que quero (nas quantidades que quero), ainda não me acostumei a tomar água como foi recomendado e sobretudo ainda não incorporei os exercícios como uma parte prazerosa do meu dia.

No meu apartamento no Rio, fazia o "circuito das trevas".

FICO REPETINDO O MANTRA
Ao sair da casa de minha mãe, fui direto para a academia me mexer um

pouco. Léo, meu personal, me pergunta se estou pulando corda – conforme pedido do Atalla –, e a resposta é negativa. Ao subir no transport para mais vinte minutos de exercício aeróbico, solto o "mantra" que virou uma espécie de marca registrada ao longo do projeto: "De...tes..to...O...dei..o"! Mas a ficha só está caindo realmente agora: só nessa semana tanto eu como a Renata percebemos que talvez o desafio seja maior do que pensávamos e não temos como voltar atrás.

Para dar uma força final nessa semana, Atalla tinha programado um treino a céu aberto, em Ipanema. Se eu já não era de treinar no asfalto, imagine na areia. Será que ia conseguir? Todo mundo fala que qualquer tipo de exercício na praia é muito mais puxado – e o Atalla confirmou: a atividade na areia dá mais equilíbrio, fortalece as pequenas articulações e ainda queima mais calorias do que no chão plano! Então, vamos encarar...

Cheguei meio atrasado e, quando vi o rosto da Renata, me assustei. Ela estava corada, claro, como todo mundo fica quando faz exercícios embaixo do sol, mas estava nitidamente cansada – quase caindo para o desanimada. Os obstáculos também começavam a pesar para ela. E admito que, além do esforço pessoal, eu estava enfrentando outra dificuldade: o convívio social.

Assim como eu, tenho certeza de que você gosta de sair com amigos de vez em quando para jantar e jogar conversa fora. Então, você sabe o que é estar num grupo, todo mundo tomando uma cervejinha – ou uma taça de vinho ou mesmo uma caipirinha (uma só!) – e você ali, só na água. Todo mundo se servindo do que quiser, e você ali, procurando no cardápio a opção mais "moderada". De repente, é como se você estivesse fora da conversa, excluído da convivência com seus amigos.

> "*A atividade* na areia *dá mais equilíbrio, fortalece as pequenas articulações e* queima mais *calorias do que exercícios no* chão plano"

Eu havia passado por uma situação dessas no jantar do dia anterior, antes de encontrar Renata e Atalla na praia, e contei a eles como estava me sentindo. Renata se identificou de cara com o que eu dizia, e Atalla veio aliviar a nossa consciência. "O importante é não sentir culpa", disse ele. "Você mesmo tem de negociar o que quer e o que não quer comer. Se fizer uma dieta com muitas restrições, as chances de se revoltar contra ela são grandes – e todo o projeto pode ser abandonado. Mas se você conseguir administrar uma tentação aqui, uma escorregada ali, o objetivo final deixa de parecer um enorme sacrifício – e você acaba conseguindo levar."

SURRA NO VÔLEI
Reanimado pelo Atalla, encarei, então, meu treino na praia, que consistia basicamente de uma partida de vôlei com uns sujeitos que estavam na faixa dos sessenta (ou mais) e que, de cara, me deram uma surra. Fiquei meio passado, porque vôlei era uma das poucas coisas que eu me orgulhava de ter um dia jogado bem – trinta anos atrás, digamos. Ali estava a prova de que quem se exercita com regularidade (e aqueles sessentões, tenho certeza, estão lá todos os dias, levantando sua bolinha) está muito mais preparado fisicamente para o exercício – e muito mais bem-disposto. Com 47 anos (eu completaria 48 na semana seguinte), eu estava fazendo feio – como os garis da Comlurb, que descansavam ali na hora de almoço, fizeram questão de me lembrar...

Assim como todas as pessoas que me abordavam na rua, cujas palavras de incentivo sempre vinham num tom misto de entusiasmo e gracejo. Eu ainda não entendia direito por quê, mas aos poucos fui percebendo que isso acontecia porque o *Medida Certa* tratava de um assunto muito próximo de todas as pessoas – era quase um tema universal.

Até um simples vôlei de praia era um grande sacrifício no início do projeto.

Hoje, com os lamentáveis hábitos alimentares que desenvolvemos – para não falar da total negligência com o nosso corpo –, muita gente sabe o que é fazer uma dieta. Ou, pelo menos, conhece alguém que já esteve ou está fazendo dieta, ou, no mínimo, pensando no assunto. (Não foram poucas as mulheres que encontrei na rua e me disseram: "Meu marido é igual a você. Tem pavor de médico e não quer ouvir notícia ruim!".) Essa obsessão era justamente a corda que estávamos tocando em todo mundo.

Quando comecei a perceber isso, passei a pensar na enorme responsabilidade que significava fazer esse quadro no *Fant*. E comecei a ficar realmente preocupado.

RECEITA
ROSBIFE DA MÃE DO ZECA CAMARGO, MARIA INEZ

Ingredientes
2 kg de filé-mignon
1 colher e meia de sopa de manteiga
1 colher de chá de açúcar
1 cebola pequena picada
6 fatias de bacon picado
Um pouco mais de meia xícara de chá de uvas passas
10 gr de creme de leite fresco
1 xícara de chá de vinho branco
Meio copo de licor cherry brandy ou conhaque ou o que tiver em casa
3 colheres de sopa de queijo parmesão ralado
1 colher de chá de maisena

Temperos
1 pimenta-vermelha sem semente
1 colher de sopa de salsa picada
1 colher de sopa de cebolinha picada
1 colher de sopa de sal
Suco de 1 limão

Modo de fazer

Limpe a carne e amarre com linha (ou cordão). Soque todos os temperos e passe na carne. Deixe a carne no tempero por pelo menos duas horas, ou de véspera.

Coloque uma assadeira no fogo alto com a manteiga e o açúcar. Quando começar a corar ponha a carne, virando sempre. Junte o tempero peneirado. Quando secar, adicione cebola picadinha e deixe dourar. Em seguida coloque o bacon, as passas e frite tudo muito bem.

Retire o file do fogo e espalhe sobre ele o creme de leite, o vinho branco e o licor. Deixe ferver 5 minutos e tire do fogo.

Salpique o queijo ralado sobre o filé e leve ao forno bem quente, por mais ou menos 20 minutos, até dourar.

Tire do forno e junte a maisena dissolvida em um pouco de água. Em seguida volte ao fogo para engrossar o molho.

Corte a carne em fatias bem finas, despeje o molho e sirva em seguida.

Acompanha arroz branco e batata palha.

Maria Inez (minha mãe), fez sucesso até no *Mais você* com sua receita de rosbife – Luan Santana aprovou!

Fim da semana 3 Zeca

Semana 3
Renata

Exaustão com ANSIEDADE

Percebo que o cansaço me faz ter preguiça até de acordar. E acabo sentindo muita ansiedade porque ainda não pareço mais magra

Estou exausta. E nem adianta reclamar. O Marcio explica que nessas primeiras semanas é muito importante resistir a esse cansaço que me leva a ter preguiça de malhar, preguiça de acordar, preguiça de tudo. Se não estivesse seguindo à risca o programa do *Medida Certa*, já teria ficado dois dias sem treinar. Com dó de mim, diria que meu corpo estava pedindo descanso e que tinha de respeitá-lo etc. etc. Mas, como o Marcio não aceita desculpas para não malhar, lá vou eu me encontrar com ele na academia.

Nessa terceira semana, aprendi que precisava tirar meu corpo da zona de conforto. Que zona é essa? É exatamente o que o nome diz: treinar numa intensidade confortável, sem grandes esforços. Não que eu tenha de morrer de cansaço, longe disso. Mas não dá para ficar dando ao corpo sempre o mesmo estímulo. Ele se acostuma com aquela intensidade todos os dias e acaba queimando menos calorias do que deveria.

Comecei pedalando na bicicleta ergométrica, mas o Marcio achou que eu não estava conseguindo sair da minha zona de conforto. Eu pedalava, pedalava, e tinha de colocar uma rotação muito alta para fazer meu batimento cardíaco subir. Então, ele alternou a bicicleta com a esteira. Comecei correndo bem leve dois minutos e descansando três. Entre bicicleta e esteira foram 55 minutos.

Talvez porque a câmera estivesse gravando, tudo ficava mais difícil, já que eu sabia que ia ser apanhada em ângulos que não gosto de ver nem no espelho, imagine na tela da televisão na casa dos outros. Mas, enfim, o projeto era esse.

No início, eu saía cansada demais de um treino. E a pior sensação vinha quando eu descia da esteira. Eu achava que nunca mais iria me recuperar.

Eu me sentia fraca demais, um pouco zonza, e já começava a achar que havia treinado mais do que deveria. Expliquei ao Marcio que essa sensação acabava me desanimando a "sair da zona de conforto". E por isso eu treinava todos os dias na mesma intensidade.

MUITO, MUITO CANSAÇO
Foi nessa conversa que descobri o meu maior erro depois do exercício: o medo de comer. Meu raciocínio era o seguinte: "Depois de tanto esforço, vou estragar tudo comendo?". Acho que muita gente pensa assim.

Esse pensamento é totalmente equivocado, e era por esse motivo que eu me sentia mal depois de um treino, sentia um cansaço além do normal. Consequentemente, eu ficava com medo de fazer muito esforço, ou seja, de sair da zona de conforto no treino seguinte.

O fato é que eu treinava muito, mas em uma intensidade que me trazia poucos resultados.

O Marcio me explicou que, duas horas depois de um treino aeróbico, seja corrida, pedalada, natação ou caminhada, existe o que ele chama de "janela de oportunidade". É o momento em que você deve comer para repor as energias. Seu corpo vai estar propício para receber esses alimentos, pronto para "queimar" muito mais que em outra situação. É a melhor hora para comer sem se preocupar em engordar, porque o corpo está queimando rapidamente tudo o que ingere.

LEITE COM ACHOCOLATADO! Mas comer o quê? A resposta do Marcio foi: alimentos considerados boas fontes de energia. Exemplo: sanduíche de pão integral com queijo branco ou peito de peru, ou uma salada de frutas, ou um suco, ou ainda um copo de leite desnatado com um achocolatado light. Isso mesmo, um achocolatado. Para mim, isso foi muito novo. O leite repõe o cálcio, o magnésio e a proteína, e o achocolatado é o carboidrato necessário para repor a energia. Não é maravilhoso? Tomar um achocolatado ou comer um sanduichinho depois da ginástica sem culpa?

Adivinhe o que eu, chocólatra, escolhi?

E foi bom mesmo eu ter me alimentado, porque nem bem o treino acabou, por volta das 20 horas, o Marcio marcou um novo treino logo cedo no dia seguinte, já que eu teria que chegar à redação até, no máximo, 10 horas.

Pelo menos nosso encontro foi em um lugar mais agradável do que uma academia: na praia de Ipanema.

CORRIDA NA AREIA Eu nunca havia corrido na areia antes. No máximo, caminhado. Sempre ouvi dizer que, correndo na areia fofa, a gente tem o risco de se machucar. Nada disso. O Marcio me fez correr na areia fofa e me explicou que, além de queimar mais que na calçada, esse tipo de exercício evita lesão! Eu achava que era justamente o contrário.

Pão integral com peito de peru e achocolatado (acima) e prato de mamão com cereais.

Vejo tantas pessoas de idade optando por andar no calçadão em vez de na areia fofa achando que é a melhor tática para evitar lesão, e agora descubro que é o inverso!

Você não pode imaginar como eu, sendo repórter, fico feliz de poder divulgar uma informação como essa no *Fantástico*. Se uma pessoa acostumada a caminhar ou correr na areia fofa tropeçar na rua, suas chances de torcer ou lesionar o pé é muito menor que as de quem só caminha na rua. Imagine que essa pessoa pode ter mais de sessenta anos. Nesse caso, essa informação pode salvar um idoso de um tombo.

Não consegui correr muito: meia horinha e olhe lá! Mas as informações que ia recebendo tornavam o projeto mais interessante. Eu me sentia mais repórter e menos personagem, o que tornava tudo mais fácil. Até para seguir o programa à risca.

Afinal, eu estava trabalhando, e o que tenho de mais sagrado na minha profissão é a credibilidade. Qualquer deslize eu teria de tornar público. Todos os sentimentos e as sensações – medo, ansiedade, sono, cansaço, dores – deveriam ser mostrados, porque podiam ser consequência da mudança de hábitos e de estilo de vida.

Com isso, fui percebendo aos poucos que a tal "exposição" que eu temia quando aceitei fazer o reality seria muito maior do que eu imaginava. Seria uma exposição não só da minha imagem, mas das minhas sensações e sentimentos. Todo mundo iria conhecer a Renata pessoa física, e não só a repórter, pessoa jurídica.

Comecei a enxergar o tamanho do "problema" que tinha arrumado. E repetia como um mantra, mentalmente: "Leve no bom humor, ria de você mesma; afinal, a vida tem um quê de ridícula".

Essas divagações, muitas vezes, aconteciam durante o treino. Eram praticamente uma terapia. Ou uma meditação?

FICA A DICA

- Nunca treine de barriga vazia. Coma uma fruta antes de treinar.
- Não invente desculpas quando estiver com preguiça de malhar.
- Não caminhe nem corra ao ar livre sem filtro solar – mesmo em dias sem sol.
- Dois sachês de mel ajudam a recuperar as energias depois do exercício.

ANSIEDADE A MIL

Final do treino. Mais do que cansada, eu me sentia ansiosa. Já estava na terceira semana – e a equipe até dizia que eu parecia menos inchada –, mas estava longe de parecer mais magra... Ainda me achava tão gorda! A sensação era de que o esforço estava sendo infinitamente maior que a recompensa.

E minha cabeça a mil por hora: "E se eu fizer tudo certo, e mesmo assim não adiantar? Será que sou um caso perdido? E se, por mais que emagreça,

as pessoas continuarem me achando gorda? Será que sou definitivamente uma pessoa gorda e estou tentando o impossível, ou seja, por mais que emagreça, vou continuar gorda?".

O que eu menos queria era demonstrar que estava preocupada. Percebendo a minha inquietação, o Marcio disse: "Acho que você está muito ansiosa".

ODEIO quando as pessoas percebem que estou ansiosa. E ODEIO estar ansiosa. Mas não conseguia disfarçar. Vejam só o tamanho da encrenca em que eu havia me metido. Será que eu ia conseguir continuar animada para seguir em frente?

Minha autoconfiança ainda oscilava muito. E naquele momento estava indo ladeira abaixo. Talvez porque eu estivesse no meu "inferno astral", aquele período que antecede o nosso aniversário e que, segundo a astrologia, ficamos mais sensíveis. Se os astros estiverem certos, tanto eu quanto o Zeca estávamos com os sentimentos à flor da pele , pois eu nasci no dia 7 de abril e ele no dia 8. Quanta coincidência! Nosso aniversário estava chegando , e eu não queria nem pensar em qualquer tipo de comemoração feita a base de guloseimas. Mas era difícil fugir do Zeca, que não precisa de uma data especial para comemorar em volta de uma mesa farta. Tudo é motivo.

DOMINGÃO

Domingo não é um dia em que eu esteja sempre na redação, ao contrário do Zeca, que está sempre lá, por conta da apresentação do *Fantástico*.

No domingo anterior ao nosso aniversário, dei uma passadinha rápida na TV só para gravar um texto que faltava na minha reportagem da semana. Estava no corredor, pronta para ir embora, quando vejo o Zeca chegando com a equipe do *Medida Certa* colada nele. Ele tinha acabado de correr na lagoa.

Animado como sempre, Zequinha vai logo me intimando para o almoço no domingo. Digo que estou fora, não quero ir a restaurante para passar vontade. Quero me manter mais light. Confesso que, para mim, é mais difícil resistir, e ele usa os argumentos que sempre funcionam: "Ô, meu, é domingo!" (Lembra do que disse há pouco? Ele tem sempre um motivo para comemorar.) "Domingo sem almoço no domingo não é domingo", ele insiste. "Tem de seguir a vida. Vai deixar de ir ao restaurante? Não é pra ter vida normal? Você tem de saber ir ao restaurante e pedir as coisas certas."

A equipe toda foi testemunha de quanto tentei resistir. Mas ele me convenceu a ir a um restaurante que ele costuma, ou costumava, frequentar no Rio, especialmente aos domingos. O lugar é realmente o máximo. Especialidade: comida brasileira. O Zeca é craque em descobrir os lugares mais bacanas do mundo. Literalmente do mundo! Quando viajo, vou a todos os restaurantes e lugares que ele recomenda. Nunca me arrependi. São sempre um sucesso. E nesse restaurante, o Aconchego Carioca (vejam que nome sugestivo), não foi diferente.

CERVEJA DE JABUTICABA: DELÍCIA!
De cara fui levada a um cômodo onde estavam as trezentas marcas de cerveja da casa. Fui avisada de que uma especial, rara mesmo, feita com jabuticaba, seria aberta em nossa homenagem. Eu pensava: "E agora? Vou estragar três semanas de sacrifício? Vou tentar tomar só um gole para disfarçar. E vou comer muita salada de entrada para comer menos bobagem".

Eu em pânico, e o Zequinha era só sorrisos, pedindo bolinho de bacalhau e comendo sem culpa alguma! Que inveja!

E as coisas só pioraram. O cardápio era um festival de gordura: bolinho de feijoada, pimenta dedo-de-moça recheada com rabada, carne-seca, queijos etc. etc.

Peço uma salada para ganhar tempo enquanto tento encontrar algo menos engordativo no cardápio e ouço do garçom a resposta mais inusitada que já ouvi em um restaurante:
– Não temos salada.
– Não têm salada? Como assim? – perguntei, nervosa.
– Não trabalhamos com salada.

Vendo meu desespero, o Zeca, em vez de ajudar, foi logo dizendo que tinha se arrependido de ter me convidado, que eu era uma chata, radical, que a gente não estava de dieta, que podia comer de tudo um pouco – enfim, eu era a chata da mesa.

Almoço de domingo no restaurante que não serve salada!

Mas me mantive firme. E chata, eu sei. Mas só pensava que queria emagrecer. Talvez fosse mais fácil, nesse início, ter um cardápio ou uma relação de alimentos que podem e não podem ser ingeridos. Mas a proposta do *Medida Certa* não é essa. É você aprender a reprogramar o seu corpo, fazendo as melhores escolhas, sem deixar de viver por isso. Mas como encontrar a "medida certa" de tudo isso?

Marcio Atalla responde: "Nesse desafio, você não pode passar fome. Não pode fazer dieta radical. Tem que comer equilibradamente, sem abrir mão das coisas de que gosta".

Sendo assim... brindei o encontro com a cerveja de jabuticaba, para não ser chamada de radical – cervejinha maravilhosa, por sinal –, e procurei improvisar a partir dos ingredientes que estavam no cardápio.

Já que eles não tinham salada, pedi uma porção de palmito pupunha e uma moqueca de banana-da-terra, mas sem azeite, ou seja, procurei fazer uma escolha certa.

Nessa hora, vi o Zeca piscando para o garçom e pedindo para ele colocar dendê no meu prato, mas olhei brava para ele e disse que não comeria se o prato viesse com gordura.

Depois de tanta tensão, ufa, até que consegui manter meu prato "na medida certa". O Zeca também se comportou. Ficou só na água, com os amigos ao lado se esbaldando na cerveja.

Claro que não é fácil, mas, pelo menos nos primeiros noventa dias, é extremamente necessário mandar mensagens para o corpo de que o padrão de comportamento mudou. Esse é o tempo mínimo para nosso corpo entender isso. E o programa estava só nas primeiras semanas...

Fim da semana 3 Renata

Semana 3

Atalla

Nem toda gordura é
RUIM

Existem aquelas que são "do bem", que por incrível que pareça geram benefícios para a saúde e não devem ser esquecidas

Diminuir o consumo de gorduras é fundamental para a saúde e para quem quer emagrecer. Mas a gordura é importante para o bom funcionamento do corpo. A melhor atitude a tomar, então, é diminuir o consumo de gorduras saturadas, presentes em alimentos de origem animal, como na carne vermelha, no leite integral e na maioria dos queijos, por exemplo.

Na alimentação, a palavra "gordura" remete logo às consequências ruins que seu consumo exagerado traz ao organismo, principalmente ao coração. Mas existem as chamadas gorduras do bem, que geram benefícios à saúde e não devem ser descartadas.

A gordura desempenha importantes funções, como o transporte de nutrientes e vitaminas, a ação isolante contra o frio e até mesmo a re-

dução da fome, pelo retardo do esvaziamento do estômago, gerando a sensação de saciedade por mais tempo. Ela gera energia ao organismo e é um combustível fundamental para quem pratica atividade física regular. Quando a gordura está em falta, o corpo acaba usando as proteínas para produzir energia, e isso resulta em perda muscular da chamada massa magra.

O importante é saber diferenciar as gorduras benéficas das que causam danos à saúde. Gorduras do bem são as não saturadas, ou insaturadas, presentes em fontes vegetais, como azeite de oliva e de amendoim, nozes, amêndoas, castanhas, linhaça, coco, açaí, chocolate amargo, abacate, além de ômega-3 e ômega-6.

A ingestão dessas gorduras saudáveis melhora a circulação sanguínea e a imunidade, ajuda a normalizar os processos inflamatórios, diminui o colesterol ruim (LDL) e ainda conserva o bom (HDL).

Fim da semana 3 Atalla

Semana 4
Zeca

Meus 48 ANOS

De repente, me dei conta de que estava perto dos cinquenta e a hora de mudar era essa

Nunca tive problemas com a minha idade. Só comecei a ver que minha idade era um problema quando amigas (e amigos) contemporâneos meus começaram a reclamar que eu não deveria ficar contando quantos anos tinha para todo mundo. Ainda mais sendo uma pessoa pública. Eu, claro, sempre achei muita graça nisso. Não apenas pelo fato de (por sorte, talvez) aparentar ser um pouco mais jovem do que diz meu passaporte, mas porque idade é um fato tão inexorável, tão imutável, que qualquer resistência será sempre inútil.

De uns tempos para cá, deixei de achar graça numa brincadeira que fazia comigo mesmo: dobrar a idade que estava comemorando todo 8 de abril para imaginar como seria viver o dobro de tempo que já tinha vivido. Desde que fiz quarenta anos, porém, essa conta ficou um pouco mais improvável – será que vou viver mesmo até os oitenta? E quem disse que chego aos 94 – o dobro da idade que eu ainda tinha no início dessa quarta semana do *Medida Certa*? Logo estaria completando 48 anos – e a conta do dobro já iria para improváveis 96.

Já que era semana do meu aniversário, resolvi me presentear bem antes. Foi assim que em pleno domingo, um dia carregado na nossa rotina do *Fantástico*, tive a ideia de levar a Renata para almoçar num restaurante típico brasileiro – e, por comida brasileira, entenda coisas bem pesadas. A chef desse restaurante é uma mulher extraordinária: começou, literalmente, num boteco e cresceu até ganhar a admiração de outros chefs internacionais. Hoje, Kátia Barbosa viaja o mundo todo preparando os seus quitutes. Mas, se você acha que ela ficou "besta" e virou chique (no mau sentido, porque em sua essência ela é uma das pessoas mais chiques que conheço!), esqueça: em seu restaurante você é recebido com uma hospitalidade única. E com a panela cheia! Mas cheia de quê?

Bem, escolhi esse lugar justamente porque ele está cheio de tentações. Fiquei horas na redação do *Fantástico* convencendo a Renata de que, apesar do nosso projeto, é possível encarar essa tradição de todo brasileiro – um bom almoço no domingo! – sem sair da medida certa. Vai dizer que nunca encarou um desses? Pode ser na casa da nona – ou mesmo na da sogra! Pode ser numa boa cantina italiana ou num ótimo (e farto) rodízio. Essa é uma situação que todo mundo conhece – e achei que seria divertido levar a Renata lá para ver como a gente ia se virar diante de um cardápio suculento.

MOQUECA DE BANANA, PICANHA SUÍNA
Era mesmo uma provocação. Nas três primeiras semanas, especialmente no que diz respeito à comida, achei que estava tendo uma atitude mais tranquila do que ela. Não que estivesse abusando... Mas eu me permitia certas liberdades, justamente para que o projeto não se tornasse um martírio. Como o Atalla nos lembrou bem a essa altura, não é uma dieta rígida – a gente não pode passar fome! Também não é para enfiar o pé na jaca todos os dias. Mas uma escapadela num domingo, com moderação, que mal tem? Eu apostava que nesse restaurante a gente encontraria alguma coisa que estivesse dentro de nossos novos hábitos de alimentação – sem deixar de lado nosso prazer de comer (alguém aí discorda de que comer é muito, mas muito bom?).

Se a Renata já saiu da redação meio desconfiada, quando nos sentamos à mesa, seus piores temores começaram a se tornar realidade. De repente, ouço a Renata perguntar ao garçom: "Como é que é? Não tem salada?". Era isso mesmo: o restaurante não tinha salada no cardápio. E o que ela iria comer então? "Experimente um pouquinho de cada coisa", sugeri. Mas ela estava determinada a não provar nem um bolinho. Estávamos em um grupo grande – e só eu e ela estávamos de dieta. Por isso, o restante da mesa pediu coisas à vontade, sem nenhuma restrição. Mas nós... Tinha um jiló que era uma delícia – e a Renata descobriu uma moqueca de banana com palmito que parecia bem dentro do que a gente poderia comer. Estava uma delícia, claro – mas quem disse que fiquei só nisso?

De olho comprido no que o restante da mesa havia pedido, roubei um bolinho (só um, o meu favorito, que é uma pimenta dedo-de-moça recheada com rabada, empanada... bem leve...) e experimentei uma fatia (fina) de picanha suína, que era uma coisa! Renata me encarava com olhares repressores – e eu brincava com ela. Depois de três semanas de mudanças de regras, achei que poderia dar uma relaxada – pelo menos por um dia. Sei que isso parece desculpa de "gente que está fazendo regime"... Mas é verdade. Eu, pelo menos, tinha o firme propósito de retomar não apenas a dieta alimentar, como os exercícios, na segunda-feira. Até porque, como já havíamos chegado à conclusão no episódio anterior, as pessoas – o grande público – esperavam isso de nós.

Se o assédio nas ruas, até então, era muito em tom de brincadeira, a partir daquela semana começamos a encontrar, por onde andávamos, gente que, entusiasmada pelo projeto, havia entrado numa espécie de *Medida Certa* pessoal. Não que elas estivessem seguindo exatamente tudo que a gente fazia no quadro, mas pelo menos tinham tomado a atitude de dizer: "Quero mudar alguma coisa na minha vida". Tinha gente que começava a fazer boa parte das obrigações do seu dia a pé. Outras pessoas tinham cortado uma coisa ou outra em sua alimentação. Mas o mais legal, que começamos a perceber, é que já havia um movimento positivo, de todo mundo, para mudar alguma coisa. Isso me deu um grande barato, assim como uma grande força para encarar o treino dessa semana.

Numa determinada manhã, Atalla estava inspirado. Depois de ter me "obrigado" a comer uma salada de frutas – fazer exercícios de estômago vazio, segundo ele, nem pen-

PERIGO

CINCO INIMIGOS SEUS NUMA FESTA DE CRIANÇA

- Brigadeiro
- Maria-mole
- Bala de coco
- Canudinho de doce de leite
- O próprio bolo...

sar –, fomos até a minha casa para fazer o famoso *circuito das trevas* que ele havia me passado na semana anterior – só que um pouco mais intenso. Foi mesmo tão intenso que, depois de quarenta minutos, eu já estava com fome de novo.

Essa foi talvez uma das primeiras mudanças que percebi no meu metabolismo desde que comecei o *Medida Certa*. Por causa dos treinos, e do novo hábito de comer a cada três horas, minha digestão passou a funcionar num ritmo bem diferente – eu diria, num ritmo mais frenético. Eu tinha a impressão de que o que eu comia era logo aproveitado pelo corpo – e isso estava me fazendo muito bem. Nesse dia, por exemplo, quando encontrei Atalla, antes dos exercícios, eu havia tomado café da manhã três horas antes. Aí "bati" aquela salada de frutas – e depois do *circuito das trevas* meu estômago estava literalmente roncando, pronto para outra refeição, dentro das regras que a gente tinha se proposto a encarar: frutas, fibras, pouca gordura, muita água, aquelas coisas...

EM VEZ DE CAJUZINHO, FRUTA NO PALITO

E foi com esse espírito que nossos colegas de trabalho organizaram uma festa de aniversário para mim e para a Renata. Ela é do dia 7 de abril – e eu do dia 8. Já passamos alguns aniversários juntos (boas lembranças de festas na casa dela!), mas nunca havíamos comemorado ao mesmo tempo na redação do *Fant*. A produção do *Medida Certa* viu nisso uma boa oportunidade de gravação – e de boas risadas, já que, obviamente, não poderíamos nem sonhar em tocar naquelas coisas que geralmente a gente vê em festinhas: brigadeiro, cocadinha, cajuzinho, bala de ovo, aquele bolo de três recheios. Qual não foi a nossa surpresa quando descobrimos que duas festas diferentes haviam sido preparadas: uma com essas coisas todas (inclusive um bolo generoso) e outra bem mais leve, com guloseimas especiais para nós: frutas espetadas no palito, um cheesecake light (se uma coisa dessas realmente existe!), granola à vontade e, no lugar do refrigerante,

Antes da nossa festa light de aniversário, eu me preparei com uma salada de frutas.

iogurte! Iogurte no aniversário? Fala sério... Só no *Medida Certa* mesmo.

Agora então, oficialmente com 48 anos, eu tinha que pensar no que estava acontecendo. Afinal, 48 é quase cinquenta! Sempre tive uma vida muito agitada, num ritmo muito acelerado – que tem a ver com a minha personalidade. Mas será que não estava na hora de repensar um pouco tudo isso? Achei que essa era a hora – e que o *Medida Certa*, que começou apenas como uma ideia que a gente não sabia direito aonde ia dar, acabou tendo um papel importante. Os desdobramentos "filosóficos" desse período estou descobrindo até hoje, enquanto escrevo este livro, algumas semanas depois de o projeto haver terminado. Mas naquele momento, justamente na passagem do meu aniversário, comecei a pensar nisso tudo com um pouco mais de seriedade. Eu ainda não tinha tanta certeza de que as lições que iria tirar do projeto ficariam comigo, mas alguma coisa eu já começava a colher – ou pelo menos eu pensava assim.

Esse pequeno bafejo de otimismo seria destruído no final da semana (já falo disso), mas foi com ele que me servi – já com 48 anos, é bom lembrar! – num abastado restaurante a quilo que fica ali perto da TV Globo. Eu e Renata havíamos combinado de ir lá com a nossa nutricionista, Laura Breves, para ver como era possível comer num lugar que é, cada vez mais, a melhor opção para muitos brasileiros que almoçam fora – e mesmo assim fazer uma dieta saudável!

A opção de grelhados é sempre boa; quando comíamos juntos, era tudo sempre leve.

QUASE UM ARCO-ÍRIS NO PRATO

Começamos com aquelas dicas de sempre, que a gente conhece (o *Fant* mesmo já fez algumas matérias sobre isso), mas às quais nunca se presta atenção na hora de se servir: não precisa encher o prato; dê uma olhada em tudo antes; não coma com os olhos – dicas assim. Mas Laura veio com novos conselhos, dos quais o mais fácil de aproveitar talvez seja fazer um prato colorido (verde, vermelho, amarelo, branco, bege, um pouco de cada). Ela ainda me

aconselhou a maneirar no azeite (que adoro), pois, quanto menos brilhante estiver o prato, sobretudo na hora em que você acaba de comer, melhor.

Ela aprovou a quantidade (razoável) de carboidratos por causa do desgaste físico do meu treino, que precisava ser reposto. Na hora de pesar o prato, minhas escolhas foram aprovadas. (A Renata teve de refazer seu prato, porque estava muito de uma cor só – bege – e com gorduras demais, mas na segunda tentativa ela mandou bem.) Comemos devagar – como deve ser sempre –, e tudo acompanhado por um bom copo d'água (com gás, para eu esquecer que é água).

Foi tudo tão leve que, menos de uma hora depois, eu já tinha a sensação de que a digestão havia acabado. Rápido assim! Era exatamente o contrário daquela sensação que você tem quando come demais no almoço (ou no jantar). Sabe quando você volta para trabalhar (ou vai se deitar para dormir) e tem a sensação de que a comida está ainda "conversando com você"? Pois então, disso eu já estava livre.

Pessoas de todas as idades me paravam durante minhas corridas na lagoa.

Com essas boas notícias, achei que havia alguma coisa para comemorar no final dessa semana. Para fechar o ciclo, fui todo animado para um treino pela manhã com Atalla e Renata – e logo depois tomaríamos um café da manhã para fazer um balanço geral. Depois dos exercícios, porém, lá no vestiário da academia, não sei exatamente por quê, resolvi subir na balança que havia lá. Como já disse, nunca fui neurótico com o meu peso – passei anos sem saber quantos quilos eu tinha. E, em nome do projeto, estava segurando esse impulso. Mas naquela hora, antes de comer com eles, achei que ia fazer uma surpresa, que levaria uma boa notícia: que havia perdido vários quilos! Quando subi na balança, ela foi cruel: eu tinha eliminado apenas um quilo. Fiquei injuriado!

MENOS UM, SÓ! Sentei à mesa com Renata e Atalla e abri meu coração: estava decepcionadíssimo! Afinal, eu achava que estava me esforçando – e essa já era a quarta

'Não RESISTI, subi na balança e fiquei injuriado

semana. Tudo isso... para perder um quilo?? Fazendo uma projeção, no fim de outras quatro semanas eu teria perdido apenas dois quilos, o que seria muito pouco. Eu tinha certeza de que as pessoas iriam me cobrar... Fiquei arrasado, e o Atalla logo veio me acalmar. A balança, ele explicou, traz uma informação traiçoeira: primeiro, porque era uma balança de academia, talvez não estivesse bem calibrada; depois, porque a perda estava dentro do esperado. Só agora meu corpo estava começando a entender o que estava acontecendo – para então poder responder a isso.

A princípio, achei que era "conversa de autoajuda", mas o Atalla, claro, não é desses. Encarei seu discurso com a seriedade com que ele se dedica ao nosso projeto. E fiquei um pouco mais calmo... Bem pouco! Decidi que, dali em diante, por minha conta, não me pesaria mais até o final do *Medida Certa*. Se ele ou a Laura – ou até o dr. Alexandre – quisessem me medir, o problema era deles. Eu não queria saber mais disso. Só que, sem eu saber, o próprio Atalla estava preparando uma surpresa para a nossa quinta semana...

Fim da semana 4 Zeca

Semana 4
Renata

O sono e o SONHO

Parei de acordar no meio da madrugada – os exercícios estavam mexendo com o meu corpo. No dia em que fiz 47 anos me dei de presente uma bicicleta, sonho que tenho desde criança

Não que eu acredite muito nisso, mas será que o zodíaco poderia nos dar pistas sobre nossos próximos dias, semanas, meses? Será que, pela personalidade astrológica dos arianos, era possível saber se íamos chegar ao final dos noventa dias respeitando o projeto?

Áries: o ariano é militante, obstinado, ambicioso e entusiasmado.

Consigo ver todas essas características em mim e no Zeca. Mas estamos falando em aniversário, comemoração com festa, bolo, champanhe – e uma comemoração que se repete várias vezes! Com a família, com o marido, com os amigos. Sim, eu e o Zeca gostamos de comemorar

a semana inteira. Haja militância, obstinação, ambição e entusiasmo para ficar longe de tudo isso.

Mas, nessa quarta semana, algumas coisas estavam diferentes. Percebi, por exemplo, que eu estava dormindo melhor. Três semanas antes de começar o *Medida Certa*, eu acordava muitas vezes no meio da noite. Às vezes até perdia o sono. Passei a dormir mais rápido, talvez porque o corpo estivesse mais cansado, e acordava mais disposta, certamente porque estava dormindo melhor. Era estranha a sensação de perceber, de repente, quanto a minha qualidade de sono havia melhorado. Os exercícios físicos estavam provocando mudanças no funcionamento do meu corpo.

E as consequências dessas mudanças no meu dia a dia? Fiz uma longa reflexão sobre elas. Percebi que não tinha mais aquela "compulsão" por doces no final da noite, antes de ir para a cama. Seria o exercício que estava causando mais essa mudança de comportamento? Lembro nitidamente que, na primeira semana, tive que resistir à vontade de comer antes de dormir, àquela fome noturna fora de hora. Mas não me lembro quando a compulsão por doces desapareceu. Até duvidei um pouco quando me dei conta disso. Será que havia desaparecido mesmo? "Deixe-me lembrar por que não comi doces nem enlouqueci diante de um chocolate nos últimos dias, na última semana, nos últimos quinze dias", pensei.

Se, até então, eu estava acostumada a comer quase sem perceber, quase sem pensar, o *Medida Certa* me levava a fazer exatamente o contrário: olhar para mim, para o meu corpo, pensar em seu funcionamento e nos meus desejos conscientes e inconscientes, sentir meu corpo funcionando de maneira diferente.

TEMPO DA AMPULHETA
Meu Deus! Eu estou fazendo 47 anos! Acho que o número 47 está muito perto do cinquenta. Eu estava mais tranquila perto dos quarenta. Até os meus 45 anos, quando me perguntavam a idade eu dizia: quase quarenta! Perto dos 50, não dá mais pra falar isso.

Com meu marido Gustavo: unidos no amor e no esporte.

Perto dos cinquenta, os hormônios femininos se manifestam de maneira diferente. Estão sempre nos lembrando de que a ampulheta do tempo de vida já passou da metade. Essa velocidade não muda. O tempo da ampulheta não muda, mas podemos tornar melhor a percepção que temos dele. Podemos sentir o tempo passando a uma velocidade de cruzeiro, cruzando um céu de brigadeiro, confortáveis na situação ou, exatamente ao contrário, incomodados, agitados, como se estivéssemos aos trancos em uma estrada esburacada ou aterrissando em um voo turbulento.

Fui para a frente do espelho me olhar com 47 anos. Estava um pouco mais magra do que quando comecei o projeto. E isso me fazia olhar com um pouco mais de carinho para o meu corpo. Eu confesso que não gostava de olhar muito para ele, pois não sentia prazer no que eu estava vendo. Mas naquela quarta semana alguma coisa estava batendo diferente dentro de mim.

A tal da "reprogramação do corpo" estava ficando mais visível. Começou acontecer!

Tudo exatamente como o Marcio disse que aconteceria, com a lógica de uma fórmula matemática. O exercício físico que havia entrado diariamente em minha vida diminuíra a minha ansiedade. Menos ansiosa, senti que tive menos vontade de comer doces e chocolate e passei a dormir melhor. Dormindo melhor, eu acordava com mais disposição, inclusive para os exercícios físicos. Ou seja, meu corpo já estava entendendo o novo padrão de comportamento provocado pela prática diária de exercícios físicos, o ciclo de reprogramação do corpo.

Como uma fórmula "matemática" era isso que estava acontecendo na minha vida:

MAIS EXERCÍCIO FÍSICO = MENOS ANSIEDADE = MENOS VONTADE DE COMER DOCE E UM SONO MELHOR = UM CORPO MAIS DESCANSADO E DISPOSTO PARA O EXERCÍCIO

A corrida na Lagoa também entrou para a minha rotina e ajudou no meu condicionamento. Eu revezava os ritmos, alternando corrida e caminhada.

"NÃO quero envelhecer me lamentando"

Esse início de reflexão me fez bem na semana do meu aniversário. Senti que estava na hora de incorporar à minha filosofia de vida algumas coisas que ouvi durante minhas reportagens, mas nunca apliquei com vigor e disciplina à vida. Uma delas é que estou exatamente no momento da "ampulheta", em que meu estilo de vida vai determinar como será a minha qualidade de vida no futuro, como vou envelhecer. Perguntei a mim mesma: "Como quero envelhecer? Adoecendo ou com saúde para entender a fase final da vida?".

FIRME E ENTUSIASMADA Lembrei de uma reportagem sobre musculação para idosos. Entrevistei uma fisioterapeuta e lhe pedi um exemplo dos benefícios da musculação ou dos exercícios de força para o dia a dia de um idoso. Ela me respondeu com um exemplo simples: "Um idoso com musculatura firme vai se levantar da cama da mesma maneira e quase com a mesma velocidade com que você se levanta hoje. Com os músculos fracos, ele vai ter dificuldade para se levantar, vai ter que se apoiar e, muitas vezes, nem vai conseguir fazer isso sozinho".

Lembra-se das características dos arianos? Somos entusiasmados. E uma situação dessas ia tirar meu entusiasmo em relação à vida. "Não quero envelhecer me lamentando", pensei. "Quero viver intensamente o mistério da vida do começo ao fim. E para isso preciso de saúde."

Estava cada vez mais forte e animada para ver o resultado de tudo aquilo em mim. Começava a perceber que aqueles noventa dias não mudariam somente meu físico, mas meu jeito de olhar o mundo.

Mais do que nunca eu estava certa de que não estava fazendo aquilo tudo apenas pela estética, para me enquadrar nos padrões de beleza que a mídia, comandada principalmente por homens, exige.

O objetivo principal era eliminar do corpo aquela gordura que iria prejudicar minha saúde e me roubar alguns anos de vida. Era esse raciocínio

que me deixava mais forte pra seguir em frente. Normalmente, as pessoas têm esse "clique" quando ficam doentes. Eu estava saudável, mas acima do peso. E não podia perder a oportunidade de vencer aquele desafio. Meu desafio agora estava longe de ser somente com a balança. Era com a vida!

7 DE ABRIL – MEU ANIVERSÁRIO

Acordei com a equipe me esperando na garagem. Desci com o presente que havia me dado um dia antes: uma bicicleta. Pode parecer esquisito uma mulher se presentear com uma bicicleta em seu aniversário de 47 anos, não é? Talvez seja trauma de infância. E um trauma desses marca a vida de uma pessoa para sempre!

Eu tinha sete anos quando pedi uma bicicleta de presente de aniversário, mas ganhei uma boneca com um cachorrinho. Ela se chamava Lalá, e ele, Lulu. Quem disse que eu queria uma boneca que andava com um

cachorrinho? Eu queria uma bicicleta. Mas meus pais são pessoas cheias de medo, e ver a filha andando de bicicleta era um deles. E olha que eu morava em uma cidade do interior, São José do Rio Preto, em São Paulo. Não houve negociação. Nunca me conformei com aquilo, mas entendi meus pais, porque um colega de classe havia morrido atropelado no trânsito quando andava de bicicleta. Depender de amigos que tinham bicicleta para me divertir, e mesmo assim com culpa por estar desobedecendo meus pais, era muito chato. Sim, eles me proibiam de pedalar, mesmo na calçada, já que um carro poderia perder a direção e me pegar.

Os anos se passaram, e, lá pelos 21 anos, adivinhe o que fiz com meu primeiro salário? Comprei uma bicicleta.

Nos primeiros anos, ela ficou mais na garagem, como um prêmio de independência, mas, quando conheci meu primeiro marido, tive uma fase de "ciclista" com ele. Cheguei a viajar com a minha bike de Campinas a Porto Seguro – no bagageiro, claro – e dei boas pedaladas no sul da Bahia.

Quando meus filhos nasceram, novamente recorri a minha bicicleta para perder os quilos a mais que sobravam em minha silhueta. Cheguei a ter aulas de ciclismo na USP, em São Paulo. Feliz da vida, acordava às seis da manhã para pedalar na Cidade Universitária. Mas um tombo feio me trouxe de volta os medos familiares: bicicleta "é um perigo". E se toda mulher fica com medo de morrer quando tem filho, imagine eu com gêmeos! Tirei esse prazer da minha vida e passei a me contentar com as aulas de spinning na academia. Uma ergométrica não implicava nenhum perigo, certo? Mas também estava longe de me dar a alegria de pedalar ao ar livre.

DE BIKE NOVA E lá fui eu, com a bike no porta-malas, pegar o Marcio Atalla no hotel e ir até um mirante que é ponto turístico do Rio de Janeiro, conhecido como Vista Chinesa e por onde circulam os ciclistas

No início das jornadas de bicicleta contei com a ajuda do professor Júnior Carvalho.

mais obstinados da cidade. Obstinados porque, para chegar de bicicleta até esse mirante, são 4.800 metros de subida íngreme, com trechos de até quinze graus de elevação! Mas eu fui de carro até lá, para começar em um trecho com subidas mais leves.

Na Vista Chinesa, encontrei um grupo de mais de dez mulheres, de várias idades, tendo aula com o professor Júnior, que eu já conhecia e havia anos que me convidava para fazer aula com ele.

Foi uma grande motivação ver tantas mulheres, com suas bikes, enfrentando aquelas subidas no meio da Floresta da Tijuca. Mas vi que estava fora de forma. Pedalei durante uma hora, porque o Atalla estava por perto (de carro), me dizendo para não parar. O professor Júnior me acompanhou, me deu dicas para pedalar com mais técnica, e acabei morta de cansaço, em um nível que não dava para conversar, ofegante mesmo.

Nesse dia, o Marcio me explicou que é importante criar pequenas metas dentro da atividade física. Isso estimula muito. E eu defini a minha: subir os quase cinco quilômetros da íngreme estrada da Vista Chinesa. Pelo menos duas vezes por semana, eu teria que ir até lá fazer um treino específico, para melhorar a pedalada, a técnica, conhecer bem o percurso etc.

Saí de lá cansada, mas muito feliz. Rindo de mim mesma. Parecia criança. Eu tinha arrumado um jeito de voltar a fazer uma das coisas que mais me dão prazer na vida, como um compromisso profissional.

No final dessa semana ganhei uma companhia fundamental: meu marido, Gustavo. Quando nos conhecemos, sete anos atrás, ele também pedalava, mas mais na academia do que na rua. Aliás, nós nos conhecemos na academia, onde ambos fazíamos a mesma aula de spinning. Mas o Gustavo já havia participado de corridas de aventura com bicicleta, já tinha ido várias vezes ao Cristo Redentor e, nessa época, subir a estrada da Vista Chinesa era uma brincadeira.

Ele estava tão fora de forma quanto eu e ficou animado depois que soube da minha meta de subir a Vista Chinesa. Começou a pedalar comigo. Quando o casal se envolve no mesmo esporte, fica mais fácil seguir em frente. Fica essa dica!

Fim da semana 4 Renata

Semana 4
Atalla

Nunca é tarde para COMEÇAR

O segredo está em respeitar
os limites do corpo e ir começando
aos poucos, sem pressa de resultados,
para evitar um choque

Um estudo feito nos Estados Unidos comprovou que a atividade física atenua problemas do envelhecimento. Idosos na faixa dos 65 anos, que nunca haviam se exercitado, foram submetidos a um treino intenso e progressivo. A conclusão da pesquisa foi que eles apresentaram melhoras na função ventricular. Ou seja, o coração se tornou mais apto a responder às exigências durante o esforço e com menor sobrecarga.

O estudo é importante para estimular quem acha que a atividade não influenciará na saúde e aqueles que nunca se mexeram na vida. Os pesquisadores comprovaram que a musculação leve e a caminhada fazem bem em qualquer idade. Os idosos que se submeteram à pesquisa tiveram um ganho de força de 7% ao ano.

Com o avançar da idade, a média anual de perda de força é de 2%.

A musculação atenua essa perda e até reverte o processo. Para o estudo, os idosos foram submetidos a exercícios de supino, extensora e puxada em doze séries de cinco a oito repetições cada.

Os médicos americanos envolvidos no estudo recomendam a quem tem mais de sessenta anos, depois de liberados por seus médicos, a praticar atividades aeróbicas, como caminhar e andar de bicicleta. Essas atividades podem ser praticadas de duas a três vezes por semana com duração de vinte a trinta minutos.

O segredo está em respeitar os limites do corpo e evoluir aos poucos, sem pressa de obter resultados. Exercícios físicos praticados com regularidade e de maneira correta só trarão benefícios, e são recomendados em qualquer idade.

Fim da semana 4 Atalla

Semana 5
Zeca

Um obstáculo chamado
LADY GAGA

Durante as três horas e meia em que esperei por ela, sabe no que pensei? Se teria tempo de correr pelas ruas de Miami

Antes que algum fã se exalte ao começar a ler este capítulo, explico que não estou aqui para criticar Lady Gaga – muito ao contrário. Afinal, quando soube que iria entrevistar, pela segunda vez, uma das artistas mais interessantes do nosso tempo, mal pude conter a excitação! Sou um admirador confesso, e entendo a expectativa que uma artista como ela cria no mundo todo. O problema foi que a entrevista apareceu – como aliás sempre acontece – na última hora, e eu tinha diante de mim um problema: como encaixar uma viagem até Miami, no estado americano da Flórida (onde a entrevista estava marcada), com a minha rotina de exercícios, que já completara um mês?

A essa altura, eu andava deveras desanimado com o nosso projeto – uma consequência natural de ver muito pouco resultado para tanto

esforço. Na semana anterior, um grave desabafo deixou bem claro que eu estava longe de me sentir "animado" com a promessa de transformação – que não estava chegando. Por conta disso, nem precisava de um motivo muito forte para desistir de tudo – ou, pelo menos, dar uma escapadela do esquema do Atalla. A viagem ao exterior para entrevistar Lady Gaga me pareceu uma oportunidade perfeita para jogar tudo para o alto.

Quem escreveu o último parágrafo, claro, foi meu id – a parte do meu aparelho psíquico que funciona apenas por instinto. Era esse id que estava falando alto naquele momento, e foi preciso meu superego (justamente a outra parte do meu aparelho psíquico que cuida de controlar esses impulsos) entrar em ação para que eu não usasse Lady Gaga como uma desculpa para relaxar do *Medida Certa*. Afinal, a "batalha" em plena quinta semana de projeto estava dura.

Como eu disse no episódio da série, você quer ver um número ali, mas esse número não vem. Você quer se olhar no espelho – ou, no meu caso, ver sua imagem na TV – e ter uma sensação forte de que algo está mudando. Você quer se sentir mais confortável no seu corpo – caramba! Mas não senti nada disso. O que me trazia, pela primeira vez, uma enorme frustração.

Correndo pelo calçadão de South Beach, em Miami.

LOUCO POR UM RESULTADO

A "novidade" daqueles primeiros dias já havia passado. As brincadeirinhas que as pessoas faziam na rua já estavam virando rotina – bem como os estímulos que mais e mais gente persistia em nos dar. A vida ia curiosamente entrando nos eixos – ainda que em outros eixos. Então, o que eu estava precisando para ir em frente com o projeto era alguma... novidade. Sim, um resultado. Talvez querendo colocar um pano quente, Atalla dizia que era assim mesmo, que os resultados não iam demorar a aparecer. Mas eu estava fraquejando, confesso.

Eu sentia que a Renata estava num estado de espírito muito parecido com o meu – e até deu uma levantada quando o marido dela decidiu encarar um projeto pessoal (que não tinha nada a ver com o nosso) de perder peso e ter uma vida mais saudável. Mas as coisas também não eram simples para ela – e eu gostava de ter essa percepção: a de que estávamos no mesmo barco. E de que esse barco estava sacudindo...

Dentro do *Fant* nosso esforço já não era mais uma novidade. Retomamos a nossa rotina como se não estivéssemos cuidando do corpo. Sei que essa era a proposta – afinal, para inspirar os milhões de pessoas que estavam nos acompanhando, tínhamos de mostrar que era possível mudar a nossa relação com o corpo, mesmo no meio de um cotidiano puxado. Não tínhamos deixado de fazer nada para praticar os exercícios ou prestar mais atenção à alimentação. Assim, não tínhamos outra opção senão encarar o que a pauta da semana nos trazia. No caso da Renata – pobrezinha! –, o que prepararam para ela foi uma reportagem em Gramado, a "terra do chocolate" – olha que tentação!!! Eu, pelo menos, fiquei com Lady Gaga.

O que foi ótimo, claro. Mas, como sempre conto em entrevistas (e deixei bem claro num outro livro que escrevi, a coletânea de algumas das melhores entrevistas que fiz no mundo do rock'n'roll – *De A-ha a U2*, Editora Globo), esse universo é bem menos glamoroso do que parece. Pelo menos para quem trabalha nele. No caso de Lady Gaga não foi diferente.

Saí numa segunda-feira, já que a entrevista estava programada para as onze horas da terça-feira. Logo que cheguei ao aeroporto de Miami, porém, fui informado de que a entrevista iria atrasar. Normal – aliás, normalíssimo. Você pode esperar qualquer coisa dessas grandes estrelas (até mesmo de algumas estrelas menores), mas uma coisa é certa: elas nunca vão chegar na hora marcada.

> **DURANTE AS VIAGENS**
>
> **LUGARES ONDE CORRI NAS VIAGENS DURANTE O *MEDIDA CERTA***
>
> **MIAMI**
> • Calçadão de South Beach
>
> **LOS ANGELES**
> • Griffith Park
>
> **PARIS**
> • O cais do lado "Rive Gauche"
> • O parque de Vincennes
>
> **BUENOS AIRES**
> • Puerto Madero
> • Reserva Ecológica

A ESPERA E A SALADA DE FRUTAS Apesar de ter dormido bem no voo, eu estava um pouco cansado. Esse cansaço, misturado à excitação de entrevistar Gaga, provocava uma estranha reação em meu corpo, como se ele estivesse me sabotando. Havia nisso uma pitada de nervosismo, certamente pela chance renovada de falar com alguém tão especial (minha primeira entrevista com ela, no final de 2009, havia sido boa, mas eu achava que poderia fazer melhor e que estava devendo isso aos fãs). Mas desconfiava de que as próximas duas horas (previsão mínima do atraso) seriam meio "nervosas". Para me distrair – e para não esquecer do *Medida Certa* –, fiz um pequeno lanche no lobby do hotel onde a entrevista aconteceria. Nada de mais: uma salada de frutas com mel, mas que me deu uma boa levantada para subir à suíte onde todo o equipamento já estava montado.

Aquelas duas horas viraram três... e meia! E eu ali no quarto, esperando Lady Gaga, já pensando se teria tempo de comer mais alguma coisa antes de a entrevista começar – e ainda se teria tempo para correr um pouco ali em South Beach, para não deixar o dia passar sem exercícios. Veja que ironia: eu estava diante de uma entrevista importante, prestes a encontrar uma artista que metade das pessoas que gostam de música pop daria tudo para encontrar, e no que eu estava pensando? No *Medida Certa*! O que será que estava acontecendo comigo?

Felizmente, não tive muito tempo para filosofar sobre isso. Lady Gaga logo adentrou o quarto com uma roupa prateada e uma maquiagem tão surreal (seus ombros tinham uma espécie de ponta acoplada, e seu rosto trazia um relevo de aspecto cortante nas bochechas – sei que parece esquisito, mas era isso mesmo!) que minha atenção foi totalmente sequestrada por ela, antes mesmo de a gente começar a conversar. Nas apresentações formais, ela foi simpática e disse que se lembrava de mim – uma gentileza que muitos artistas fazem, ainda que mintam. Aproveitei o gancho para dizer que estava surpreso por ela ter me reconhecido, uma vez que estava (supostamente) mais magro... ela não entendeu a brincadeira, claro. Expliquei rapidamente que estava de dieta "pública"

> *Só mesmo Lady Gaga para me fazer esquecer o cansaço e a fome que eu tinha depois de uma longa viagem a Miami"*

– ela achou graça e logo começou a falar de si. A partir dali, a entrevista já estava valendo, e posso dizer que foi o máximo. Por quase meia hora – um tempo bem maior do que o previsto (sinal de que a artista estava gostando da conversa) –, falamos à vontade. E, quando terminei, nem estava cansado!

Fui direto a South Beach, primeiro para comprar um tênis e uma roupa de ginástica (fiz as malas tão depressa antes de sair do Brasil que nem me lembrei de pegar esses itens – será que era meu inconsciente falando?) e depois para dar uma corrida. Foi estranho. Já fui algumas vezes a Miami, quase sempre a trabalho. Mas quando passo por South Beach é sempre para o lazer. Não dessa vez.

OSTRAS AMIGAS No verdadeiro espírito do *Medida Certa*, uma câmera estava me acompanhando em todas as atividades por lá – e não apenas durante a entrevista com Lady Gaga. Foi por causa "dela" que não pude comer bolinhos (fritos) de caranguejo em um daqueles ótimos restaurantes na orla da praia (em compensação, o próprio caranguejo estava ótimo, assim como as ostras, que eu nem sabia se podia comer – só descobri depois que elas eram "inofensivas" para a minha dieta). E foi "ela" também, a câmera, que conferiu minha corrida por aquele cenário maravilhoso – aquela combinação especial de natureza (quase) tropical com arquitetura art déco.

No fim do dia, estava exausto – e ainda tive motivos para perceber que não iria descansar tão cedo. Chegando ao hotel, abri meus e-mails e vi que havia surgido outra entrevista bem legal para fazer... no dia seguinte! Miley Cyrus, que estava vindo se apresentar no Brasil. Só um detalhe: a entrevista seria no dia seguinte em Los Angeles. Ou seja, eu teria de voar "para trás", o que significava acordar supercedo, pegar um voo durante a madrugada, atravessar os Estados Unidos e chegar em cima da hora a L.A. para entrevistar Miley. E o *Medida Certa*, onde eu iria encaixar? Sobre isso eu pensaria no dia seguinte.

Almoço de frutos do mar de South Beach, Miami.

Naquela noite, tudo que eu podia fazer era dar um gás ali mesmo na sala de musculação do hotel e tentar dormir um pouco. Como meu corpo iria encarar aquela mudança brusca de rotina? Não tinha a menor ideia, mas sabia que precisava descansar.

Acordei sem noção de que horas eram – ou melhor, de que horas eu deveria estar "vivenciando". Não me lembro de praticamente nada dessa viagem, a não ser que a aeromoça me acordou para dar a minha refeição "especial". Se você já ouviu alguém reclamar de comida de avião, experimente encarar uma "especial". No meu caso, o pedido foi um cardápio de baixa caloria – uma banana, leite desnatado, cereais. Uma delícia... Dormi antes mesmo de minha digestão começar e só fui acordar em Los Angeles, praticamente com Miley Cyrus na minha frente.

Ao contrário do encontro com Lady Gaga, que foi exclusivo, a entrevista com Miley fazia parte de um pacote de várias TVs da América Latina, por onde ela iria excursionar. O clima de "linha de produção" – acaba uma e já começa outra – era óbvio, e resolvi não me incomodar com isso. Chegada a minha vez na fila, conversamos dentro do tempo regulamentar (pouco mais de dez minutos). Ela seguiu com a sua agenda de compromissos, e eu fui para a primeira refeição do dia por volta das quinze horas (ou talvez dezoito horas em Miami, ou quem sabe 21 horas no Brasil?).

Fui com a equipe a um lugar que sempre gosto de visitar em L.A. (apesar de ser uma cidade que conheço menos que Miami, até que sei me virar bem por lá!): o Farmer's Market. Como o nome sugere (Mercado do Fazendeiro), as opções ali deveriam ser mais saudáveis – pelo menos orgânicas! Mas estávamos nos Estados Unidos, e só de passear pelas barracas de comida já se percebe por que as pesquisas mostram que a obesidade é cada vez mais um problema para os americanos.

Exercícios e mais corrida no Griffith Park, em Los Angeles.

NA LADEIRA, PARA CIMA
As tentações gritavam em cada vitrine – de bacons suculentos a hambúrgueres ricos (ricos em gordura saturada, claro). Tudo muito boni-

"Nada MAL, correr olhando para Hollywood"

to – e extremamente perigoso para alguém que quer entrar na medida certa. Acabei escolhendo uma opção mais razoável (salada de camarão) e uma sobremesa idem (iogurte light) – até porque ainda tinha que encarar um treino! Isso mesmo: assim como fiz em Miami, minha preocupação em Los Angeles era não passar um dia sem me mexer. Assim, do Farmer's Market fui direto ao Griffith Park para correr.

Você deve conhecer o cenário. Sabe aquele letreiro bem grande da palavra Hollywood? Pois então, é lá mesmo! É um cartão-postal – que se pode ver de vários cantos da cidade. O problema, para mim que iria correr lá, era justamente esse: pode-se ver porque fica num lugar alto. Ou seja, o Griffith Park é uma paisagem sensacional para correr... ladeira acima! Isso era uma novidade. Eu já estava ficando bom na corrida, desenvolvendo resistência. Mas para cima? O desafio era totalmente diferente – e tenho de confessar que foi muito, mas muito, puxado. Claro que isso era resultado de muita coisa: as poucas horas de sono, o fuso horário, o trabalho acumulado, a preocupação com a volta. Mas a "corrida de Griffith", como depois passei a chamar a aventura daquela tarde, marcou o pequeno Zeca.

Fui dormir exausto (de novo!) e no dia seguinte acordei cedo (de novo!) para voltar ao Brasil. Consegue imaginar o estado em que eu cheguei ao Rio para fazer o *Fant*? Pois é... Mas, para a minha surpresa, eu estava me sentindo menos cansado do que imaginava.

Na nossa conversa no final da semana, enquanto esperava o Atalla chegar e sem ninguém mandar, resolvi fazer um aquecimento nas escadas do Mirante do Leblon! O próprio Atalla ficou admirado (olha eu, convencido) e anunciou uma surpresa: sacou do bolso uma fita métrica e veio conferir a minha circunferência abdominal (algo que só estava programado para acontecer dali a duas semanas). Resultado surpreendente: a medida havia passado de 110 para 106,5 cm. Sensacional!

Com isso, ele quis dar uma levantada no meu astral desanimado de antes da viagem para os Estados Unidos, reforçando que, pelo menos nesse estágio, a balança conta menos que a fita métrica. Muito bom, fiquei feliz. Especialmente porque estava saindo de férias – que já estavam programadas desde outubro do ano passado, antes mesmo de o *Medida Certa* existir. Sabe para onde eu estava viajando? Paris! Já sei... "medida certa" não combina com Paris. Ou será que combina? Era isso que eu estava prestes a descobrir...

Fim da semana 5 Zeca

Semana 5
Renata

TESTE de resistência

Fui escalada para uma reportagem em Gramado. Assunto: a indústria de chocolates na Páscoa!
Sabe o que é para uma "chocólatra" estar numa fábrica de chocolate... com uma câmera me vigiando?

Na quinta semana bateu um desespero. A ideia era não nos pesarmos longe das câmeras, porque o peso da balança não era o que contaria para nós. A medição mais importante era a da fita métrica, porque ela, sim, é capaz de mostrar quanto estamos perdendo de GORDURA.

No *Medida Certa* aprendi que algumas pessoas pesam pouco na balança mas têm muita gordura no corpo, enquanto outras pesam muito porque têm músculos, mas são magras, com pouca gordura corporal. Quando perdemos gordura, perdemos centímetros, e era essa diminuição de medidas que buscávamos. Mas o fato é que é muito difícil tirar o peso da balança da cabeça. Quando se fala em emagrecimento, a gente quer o número.

Nessa quinta semana eu malhava, malhava, malhava, seguia todas

as dicas da nutricionista, e o ponteiro da balança (na qual eu subia escondida e trancada no banheiro) pouco se mexia. Batia aquela sensação de desânimo, de muito sacrifício para pouco resultado. Como sou do tipo que se cobra demais, logo vinha na minha cabeça o seguinte pensamento: "Acho que estou fazendo algo errado sem perceber. Malhando pouco ou comendo mais do que eu deveria".

Para piorar as coisas, eu teria uma semana puxada na reportagem. Se passasse um dia sem malhar, sentia culpa, e sabia que pagaria por isso lá na frente. Era como se tivesse o barulho do ponteiro do relógio em meu ouvido, me lembrando de que o tempo estava passando. Esse barulhinho tinha sobre mim o efeito emocional de uma bomba-relógio com data para explodir: no final dos noventa dias.

Eu estava vivendo o dilema de todos que querem ter uma rotina de atividade física, mas não sabe como priorizá-la na agenda. Tem que ter foco no trabalho, foco na alimentação, foco na ginástica, nos filhos, na organização da casa, no marido, que sempre exige uma atenção redobrada, e ainda ficar linda, com cabelos escovados, corpo depilado, manicure em dia...UFA!

Eu só podia comer essa barrinha aí, de 30 g e 70% de cacau.

Nesse estresse todo, só me resta rezar para não aparecerem muitas tentações pela frente, pois a ansiedade me torna presa fácil da compulsão por chocolates, por exemplo.

E não é que foi justamente o que aconteceu?

CHOCOLATE À VISTA

Na terça-feira daquela semana, quando cheguei à redação, meu chefe, o Luiz Nascimento, havia tido uma ideia divertidíssima para o programa, mas um tanto desafiadora para mim. Quase uma armadilha. Na reunião de pauta tinha ficado decidido que naquela semana, véspera da Páscoa, eu visitaria uma fábrica de chocolate em Gramado, no Rio Grande do Sul. Logo eu, que já havia confessado que era chocólatra.

"São cascatas de chocolate. A cidade tem cheiro de chocolate", ele disse. Seria uma perseguição?

No dia seguinte, com essas cascatas de chocolate na

cabeça e os pensamentos voltados para o sacrifício e o teste de resistência que teria pela frente, fui me encontrar com o Atalla na lagoa Rodrigo de Freitas, onde aconteceria o treino do dia.

– O que eu faço, Atalla? – perguntei, desesperada. – Posso comer chocolate?

– À vontade, não, mas pode comer chocolate – respondeu ele, firme na teoria de que emagrecer não pode ser tão sacrificante.

– Quanto de chocolate eu posso comer?

– Coma um pedaço sem culpa. Não pense na quantidade.

Sem culpa? Fácil falar, né? Eu já não estava muito bem-humorada com aquela situação, e o Atalla me diz para comer sem culpa? Ele acha que é fácil? O pior é que ele veio com uma "bronquinha" do tipo: "Você não está entendendo os princípios do projeto. No *Medida Certa*, você pode comer de tudo! Até chocolate". E quem disse que consigo comer um pedacinho de chocolate? Melhor não comer nenhum.

O mau humor tomou conta de mim, e desabafei com o Atalla:

– Vou entrar em depressão. Não vou conseguir emagrecer. E ainda vem essa história de fazer matéria na fábrica de chocolate. Golpe baixo.

O Atalla tentou me tranquilizar, dizendo que, como eu vinha fazendo há trinta dias uma alimentação correta, meu corpo já começara a entender que esse era o padrão. Um pedaço de chocolate já não tinha a força de detonar tudo o que conquistei. Ou seja, meu corpo já começou a entender que o comportamento agora é outro, e meu metabolismo vai dar conta de queimar esse pedaço sem que ele se acumule como gordura. Afinal, estou fazendo atividade física todos os dias. E o Atalla completa:

– Atividade física não é igual a um medicamento, que você toma e faz efeito na hora. Precisa de certa regularidade para você colher os benefícios. Você está colhendo.

Atalla me dispensou de jogar vôlei quando amanheci com gripe forte.

UMA VITÓRIA, MÉRITO MEU
É verdade, muita gente já notava meu rosto mais fino. Eu também percebia, mas meu corpo ainda estava sem forma, quadrado, desajeitado.

Nesse dia, o Atalla intensificou o meu tempo de corrida. Normalmente, eu fazia quarenta minutos. E ele pediu para eu dar uma volta na lagoa, que tem 7,5 quilômetros. O treino era correr três minutos e andar um minuto e meio, até completar a volta. Acho que ele me deu esse treino para amansar meu mau humor e minha ansiedade. É que esse tipo de treino, em que você corre e anda, corre e anda, libera mais adrenalina, e por isso é também mais eficiente para queimar a gordura abdominal.

Depois de uma hora e oito minutos, eu estava de volta. Ofegante, mas com aquela sensação boa de missão cumprida, de que meu corpo tinha dado conta, de que eu não tinha morrido, de que meu coração não tinha parado e de que eu tinha completado o percurso todinho sem descansar.

A conversa com o Atalla depois desse treino foi quase um capítulo de livro de autoajuda. Antes de começar a correr, eu havia dito a ele que não achava que teria pique para dar a volta na lagoa, mesmo com intervalos de caminhada. Afinal, o desafio do Zeca seria esse, e ele se prepararia três meses para isso! E ele é homem!

Quando completei a volta, e o Atalla veio me cumprimentar, logo pensei: "Foram os meus tênis com sistema de amortecimento especial e a música mais ritmada no meu ouvido que me ajudaram a completar esses 7,8 quilômetros". Aliás, não só pensei, mas comentei com o Atalla, que, muito sério, disse que eu precisava acreditar mais em mim e que eu estava conquistando mais resistência física pelo meu esforço diário, pela minha disciplina, pela minha força de vontade, e não por causa dos tênis, da música, ou de qualquer outra coisa.

Foi ridículo me ver naquela situação, porque era verdade. Eu nunca achava que as conquistas eram resultado do meu esforço. Isso acontecia também na minha vida. Percebendo isso, ele tentava a toda hora me mostrar o oposto, que o mérito era meu. Por essa e por outras, a convivência com o Atalla nesses três meses me fez muito bem. E foi com essa injeção de ânimo que parti no dia seguinte para a reportagem na fábrica de chocolate em Gramado.

Na bagagem, meu treino: meia hora por dia de atividade aeróbica. Num dia, caminhada, no outro, corrida. E ele ainda liberou quarenta gramas de chocolate...amargo. Sim, o chocolate com 70% de cacau. Daqui a pouco você vai entender por quê.

LANCHE DE CASA

Entre avião e ônibus seriam quatro horas de viagem. Planejei minhas refeições de três em três horas. Como uma delas cairia justamente em pleno voo, fiz um lanchinho "medida certa" com pão integral, uma fatia de queijo branco, blanquet de peru, tomate e alface, e levei de casa. Nunca imaginei que faria isso em uma viagem de avião. Mesmo sabendo que as refeições nos aviões são horrorosas. Totalmente gordurosas e pouco saborosas.

Por que nunca servem, por exemplo, uma frutinha? Custava? Mas nem por isso havia me ocorrido até então a ideia de levar o lanche de casa. O negócio era estar alimentada para ficar mais forte diante das tentações, porque elas estão por toda parte. Sem meu lanchinho ali, provavelmente eu teria comido pão de farinha branca com recheio de queijo amarelo e presunto, ou algo ainda mais gorduroso.

Pelas minhas contas, eu estava salva, já que dentro de três ou quatro horas estaria em um restaurante. Mas, assim que desembarcamos em Porto Alegre, o cenário era péssimo. Chovia muito, e subir a serra até Gramado demorou muito mais que o previsto. Havíamos saído do Rio às dez horas da manhã, eram 15h30 e não achávamos nenhum restaurante aberto na cidade.

Acabamos entrando em uma churrascaria por volta das quatro horas, e aí a fome diante de uma polentinha me fez... ai, meu Deus do céu, vou contar. Não resisti. Comi um pedacinho, pequeno mesmo, juro! Como será que meu corpo iria interpretar esse deslize?

Carne e salada... tentei ser light em Gramado. Sem sucesso...

DISSE NÃO AO CHAMPANHE

Finalmente demos entrada no hotel. E mais uma vez surgiu a tentação. Imagine como cheguei ao hotel depois de uma viagem de avião turbulenta, mais duas horas e meia de estrada com chuva em uma van, mais meia hora rodando pela cidade atrás de um restaurante decente, e ainda por cima com frio!

Aí, entro naquele hotel com aquecimento, um pianinho ao fundo, os funcionários todos com rosto tranquilo, sorridentes, e um garçom veio gentilmente me dar as boas-vindas com uma taça de champanhe, que dava para ver pelo copo que estava bem gelada, e... adivinhe? Uma barra pequena de chocolate.

O cenário estava perfeito para eu aceitar, uma combinação que só de lembrar me dá água na boca: champanhe com chocolate. E eu, sorrindo por fora e chorando por dentro, disse: "Não, obrigada". Subi para o quarto, e tinha pela frente a lição do dia: meia hora de esteira na academia do hotel. Já era noite, e a gravação aconteceria só no dia seguinte. A única vontade era de que aquele dia terminasse logo.

NO MEIO DOS CHOCOLATES

Em Gramado, nessa época de Páscoa, para onde você olhar tem chocolate. Antes de chegar à fábrica, fui dar uma voltas na rua da Chocofest. O nome já diz tudo, não é? Uma rua cheia de lojas de doces, em que acontece a festa do chocolate. Havia muitos turistas na rua, de norte a sul do país. Fora do eixo Rio-São Paulo, as pessoas quando veem alguém que aparece na televisão costumam se manifestar bem mais. Era tanto o assédio das pessoas me dizendo que estavam torcendo por mim que minha vontade de comer chocolate foi totalmente desviada. Perguntei a um grupo de senhoras que me cercou: "Vocês acham que devo comer chocolate?". Todas elas, muitas com um chocolate na mão, disseram em coro: "NÃO!".

Parecia que queriam que eu tivesse uma força de vontade que faltava a elas. Estava acontecendo o oposto do que acontece quando fazemos dieta e vamos a uma festa, por exemplo. Nesse caso, ao saberem que você está de regime, as pessoas vão logo falando: "Coma só um docinho, tome um copinho de cerveja, só um não vai te engordar". Com a repercussão do *Medida Certa*, elas estavam agindo de modo diferente. Sentia que torciam para eu resistir. Isso foi muito importante para me ajudar a não ceder diante das tentações. E tenho certeza de que para o Zeca também.

FICA A DICA
- Antes de escolher um chocolate, leia o rótulo. E escolha aqueles em que a massa de cacau aparece em primeiro lugar na lista de ingredientes.
- Cada três andares de escada que você sobe equivalem a dez minutos de caminhada.

LIÇÃO: DE OLHO NO RÓTULO

Mais do que nunca eu teria que ser repórter. E foi com o pensamento fixo nisso que entrei naquela fábrica. E repórter com duas funções diferentes: resistir à tentação da oferta abundante de chocolate e fazer uma matéria sobre saúde, em um momento em que os telespectadores do

Fantástico estavam com os olhos muito voltados para o que eu, o Zeca e o Atalla falávamos sobre o tema. Para resistir bravamente, coloquei o foco totalmente na reportagem, que tinha como meta ir atrás do chocolate saudável.

Comecei pelas cascatas de chocolate, tradicionais na cidade nessa época do ano. Eu tinha que desmistificar aquela imagem que deixava todos com água na boca. Era uma estratégia de marketing das lojas para que as pessoas, diante dessa tentação, comprassem mais e mais ovos, certo? Por isso fiz questão de gravar um texto em frente a uma dessas cascatas, fazendo uma afirmação e uma pergunta que, tenho certeza, fez muita gente parar para pensar:

"É impossível estar diante de uma cascata de chocolate e não sentir uma vontade incontrolável de se entregar a essa delícia. (Sim, eu estava falando em primeira pessoa.) O problema é saber se realmente você está comendo chocolate ou muito mais gordura. Você sabe?".

O cardiologista Daniel Magnoni explicou que o chocolate pode ter mais ou menos gordura saturada proveniente do leite e mais ou menos açúcar. O açúcar é uma das principais causas da obesidade. A gordura saturada é uma das principais causas de doença cardiovascular. "O melhor chocolate para a saúde é aquele que tem menos açúcar e menos gordura saturada", disse ele.

São muitas tentações em Gramado – chocolates por todo lado, quase enlouqueci.

Mas como saber isso na hora de comprar o chocolate? Olhando o rótulo do produto, uma lição importante que aprendi no *Medida Certa*. Uma nutricionista da fábrica me explicou que a Anvisa obriga os fabricantes de chocolate a listar no rótulo todos os ingredientes em ordem decrescente de volume, ou seja, a quantidade em que estão presentes no produto. Normalmente, nos chocolates 70%, a massa de cacau é o primeiro na lista de ingredientes, ao passo que a manteiga e o açúcar são os últimos. Já nos chocolates ao leite, o açúcar e a manteiga sempre são os primeiros da lista, e a massa de cacau a última. São chocolates que têm em torno de 16% de massa de cacau, no máximo.

O cardiologista Daniel Magnoni nos contou que um pequeno pedaço de chocolate, veja bem, um PEQUENO pedaço, todos os dias, pode ajudar a prevenir doenças cardiovasculares. Um pequeno pedaço era justamente o que o Atalla havia liberado. E foi isso que comi: uma barra de trinta gramas de chocolate 70%.

Voltei de Gramado pensando como é importante termos informação sobre aquilo que ingerimos. É importante comer com a razão e, mais que isso, com inteligência. Fica a dica.

Fim da semana 5 Renata

Semana 5
Atalla

Ande mais a PÉ

Uma pessoa normalmente ativa tem de andar pelo menos 10 mil passos todos os dias

Esse foi um momento importante no *Medida Certa*. O Zeca saiu de férias e viajou a Paris. Minha orientação foi que ele acumulasse o maior número de passos por dia. Claro que se ele pudesse correr por quarenta minutos seria o ideal, mas, se acumulasse os passos, ele voltaria de férias, no mínimo, na mesma situação em que havia ido à França.

Já parou para pensar – ou contar – quantos passos você dá por dia? Saiba que, para ser considerada saudável, uma pessoa tem que dar diariamente nada menos do que 10 mil passos, quantidade mínima recomendada para quem quer alcançar benefícios com a atividade física.

Se você estiver pensando que dar 10 mil passos diariamente, ou mesmo contá-los, é tarefa impossível, saiba que existem alguns macetes para melhorar o seu condicionamento. Já existe um aparelhinho, o pedômetro, que ajuda a contar o número de passos. Você pode contar

também os passos que utiliza em seus trajetos diários e multiplicá-los pelo número de vezes que os percorre. E pode, ainda, acrescentar à caminhada diária pequenos trajetos, fazendo a pé o percurso para a escola, para o trabalho, para casa ou até mesmo para as atividades de lazer, como ir a um cinema ou passear num shopping.

Estudos mostram que aqueles que adotam a caminhada como hábito têm menos gordura corporal, menor pressão sanguínea e melhor tolerância à glicose. A caminhada combate também a osteoporose, melhora a lombalgia, recupera o vigor sexual e fortalece o sistema imunológico.

Fim da semana 5 Atalla

Semana 6
Zeca

"Juste MESURE"

Nas férias, em Paris, caminhei – em um só dia dei 18.558 passos –, mas tomei duas taças de vinho. E descobri que estava apaixonado... pela corrida!

Dez mil passos – parece muita coisa? Pois não é. Sobretudo se esses 10 mil passos forem pelas ruas de Paris. Quando, no final da quarta semana, o Atalla me deu um pedômetro – aquele aparelhinho que conta o número de passos que você dá – e disse que a minha missão, durante as férias, seria dar pelo menos 10 mil passos por dia, levei um susto! Achei que era coisa demais.

De cara, ele me garantiu que essa conta não é exagerada – que uma pessoa normal, com um nível médio de atividade, dá 8 mil passos por dia. Será mesmo? Numa conta rápida que fizemos na última conversa antes de eu sair do Brasil, ele disse que, na medida do meu passo, isso dá mais ou menos oito quilômetros. O que também pare-

Antes de embarcar para Paris, ganhei um aparelho para contar os passos.

ce muito, eu sei. Mas não adiantava "sofrer por antecipação". Era melhor fazer as malas, relaxar, chegar a Paris e, aí sim, ver se os tais 10 mil passos eram "possíveis".

Só uma pessoa "prejudicada" – como dizia minha avó – seria capaz de maquinar tal crueldade: entrar num projeto de reprogramação corporal, investindo em uma dieta mais saudável e alta dose de exercício, e sair de férias para um lugar perfeito para relaxar – e mais perfeito ainda para comer (e beber!). Acontece que a ordem dos acontecimentos não foi bem essa. As férias já estavam programadas desde o ano anterior.

Combinei com um casal de amigos que completaria sessenta anos em 2011 e com um grande colega de trabalho que já havia morado em Paris, uma grande celebração numa cidade da qual nós quatro sempre gostamos. Seriam dez dias sem nenhum compromisso maior que não fosse a nossa diversão – sem hora para acordar, sem roteiros preestabelecidos, sem discussões de agenda. Cada um faria o que quisesse – se as vontades combinassem, tanto melhor. Senão, teríamos sempre a cidade como cenário e a possibilidade de esbarrar, felizes e descompromissados, uns nos outros.

Foram meses de preparação – e excitação antecipada. Novos lugares, escolha de hotel, acerto de datas (todos tinham que fazer suas férias coincidir). Passamos o verão de 2011 sonhando com a viagem – até que, pouco antes do Carnaval, apareceu um "negocinho" chamado *Medida Certa*. Seria possível conciliar as duas coisas?

Renauld (de azul) foi meu treinador em Vincennes; embaixo, a equipe de Paris.

UM PEDÔMETRO EM PARIS
Eu já sabia dos riscos. Todo o controle que eu vinha mantendo nas últimas cinco semanas, especialmente com a alimentação, iria relaxar. Afinal, eu estava indo para um dos centros gastronômicos do mundo. Entre viagens de trabalho e passeio, já passei um bom punhado de vezes por Paris e juntei, nesses anos todos, uma lista de lugares onde gosto de comer e beber! (Não preciso nem fazer aquela piada sobre as qualidades do vinho "nacional" de lá para você enten-

der que resistir a um copo por refeição é praticamente impossível.) Eu já havia planejado levar meus amigos a alguns dos meus restaurantes favoritos.

O pedômetro foi uma saída. Atalla insistiu para que eu tentasse manter o ritmo de exercícios. Eu sabia que poucos hotéis na França contam com a facilidade (relativamente moderna) de uma academia de ginástica e me comprometi a encontrar uma alternativa para alguma atividade por lá, mas Atalla não me deu esse voto de confiança: soltou o pedômetro na minha mão e decretou a "lei dos 10 mil passos". Mal sabia ele que não só eu cumpriria à risca essa missão, mas ainda me superaria em Paris – tudo para poder comer (e beber) sem culpa.

Cheguei a Paris decidido a não largar o *Medida Certa*. Comecei testando a minha resistência com uma atividade perfeita para fazer por lá: caminhar! Se existe alguma cidade que foi feita para o passeio, é Paris. Com sol, com frio, ventando – e até com chuva –, andar pelas ruas da cidade é o jeito mais fácil de esquecer a vida ou, pelo menos, as chateações dela. Dei sorte nesse primeiro dia, porque o céu estava azulzinho – e resolvi ir a pé do Marais (o bairro onde estava hospedado) até o Museu do Quai Branly, que fica perto da Torre Eiffel e tem uma das coleções mais incríveis que conheço de arte étnica.

Não tinha ideia de quanto tempo levaria nessa caminhada e fui sem pressa. Mais ou menos uma hora e meia depois, lá estava eu conferindo os meus passos no aparelhinho – que, por um bom tempo, até esqueci que estava usando. Fiquei impressionado. Sem o menor esforço, e sem sinal de cansaço, eu já havia dado 5.017 passos – um ótimo começo! Se voltasse a pé, já teria cumprido a minha meta do dia, sem o menor sacrifício.

Correndo na frente do castelo de Vincennes.

CUSCUZ COMO RECOMPENSA
Nesse dia, acabei andando muito mais. Indo de um canto para o outro, entrando num museu, numa galeria, numa lojinha (e até pegando um ou dois metrôs), acabei completando 18.558 passos – que beleza! "Atalla vai ficar orgulhoso",

pensei. De tão contente que eu estava, resolvi me presentear no jantar: fui com meus amigos a um restaurante marroquino comer um belo cuscuz e tomar um par de taças de vinho tinto – algo que, aliás, o Atalla desaprovaria. Não pelo vinho, tenho certeza (nossa "filosofia" no *Medida Certa* é não passar por nenhuma privação absoluta!), mas pela "política enganosa das recompensas".

Uma das lições de que mais me lembro nessa experiência toda foi esta: não é só porque teve um bom dia de exercícios que você precisa se recompensar. Essa negociação é injusta com você mesmo – e irreal. Fica parecendo que você só vai fazer as coisas certas hoje para poder dar uma "escapada" amanhã – e isso não é legal. Mesmo assim, um dia só de "pé na jaca", considerando que eu estava de férias em Paris, achei que não era nada de mais. E quer saber? Estava bom aquele vinho...

Dias mais puxados, porém, me esperavam. Não na nossa rotina, que continuou a mesma de antes: uma comprinha aqui, uma livraria acolá, uma passadinha por aquela igreja que ninguém ainda havia visitado. Mas eu tinha combinado de fazer uma aula com um personal francês, para não deixar meu corpo muito desacostumado e para aproveitar um outro lado da cidade que muitos turistas às vezes não têm oportunidade (nem tempo) de aproveitar. Paris tem parques belíssimos, e, com o tempo ajudando, fazer alguma atividade num deles seria um programa incrível, mesmo nas férias.

PEDINDO ÁGUA Foi assim que numa manhã ensolarada eu estava no parque de Vincennes com um cara chamado Renauld, pronto para me dar uma série de exercícios que nunca havia feito antes. Renauld, meu *entraîneur personnel* (como sua profissão é conhecida por lá), começou com uma corrida de aquecimento pelo parque e pela região do castelo de Vincennes (onde, aliás, encontrei vários brasileiros, viajantes também, que me deram aquela força para eu não desistir). Em seguida, começaram as novidades – e que novidades! Primeiro, uma sequência de exercícios de propriocepção – não estranhe, eu também nunca havia ouvido

> *Um dia de* 'pé na jaca' reality *em Paris? Achei que não era nada de mais. E quer saber? Era bom aquele* vinho..."

falar deles (Atalla me conta depois que eles são bem eficientes). Trata-se de uma série de posições em que você tenta se equilibrar. Quem vê de fora tem a impressão de que você não está fazendo quase nada, mas por dentro – eu garanto – seu corpo está pegando fogo.

Como se não bastasse isso, Renauld veio com uma bateria de TRX – coisas da moda também, e, já que a gente estava na capital da moda, achei melhor não dizer não. Alguns chamam de pilates suspenso, talvez porque os exercícios são feitos com tiras que lembram as de um paraquedas. O que achei? Bem... um horror! Foi puxadíssimo! E eu já estava todo dolorido quando Renauld disse que, para terminar (e relaxar), faríamos alguns exercícios de boxe tailandês (não entendi nada... não estávamos na França?). Acabado, consegui dar uns chutes até que altos, mas, menos de dez minutos depois, já não tinha fôlego para mais nada! *Merci beaucoup*, Renauld!

Estava tão cansado que quase me esqueci de que havia marcado um jantar francês com um brasileiro. Parece estranho, mas é isso mesmo. Descobri um chef brasileiro que está "bombando" em Paris – e sua especialidade não é comida brasileira, mas francesa. Seu nome é Eduardo Jacinto, e ele é de Santa Catarina. Segundo me contou, um dia resolveu ir para Paris aprofundar seus conhecimentos culinários. Acabou trabalhando com um dos melhores chefs da França, Christian Constant, que gostou tanto de Eduardo que lhe ofereceu sociedade. Assim, Eduardo hoje é o responsável pelo Café Constant, um bistrô que vive lotado. E não demorou muito para eu descobrir por quê. (E pensar que quase perdi esse jantar cochilando de exaustão no quarto do hotel!)

Numa conversa rápida, Eduardo foi taxativo: aquele mito de que a cozinha francesa é pesada não vale mais. Muita coisa mudou na culinária mais tradicional do mundo, desde o uso da manteiga (que ele garante já não ser mais tão exagerado como antigamente) até a maneira de preparar patês "pesados" (com técnicas modernas que deixam as partes mais gordurosas por cima). O mais im-

Renauld aplica exercícios radicais de pilates no ar.

portante, segundo ele, é sempre o sabor – e, para fazer um prato delicioso, você não precisa de muita coisa. Sua culinária é de aromas e temperos, de pratos leves (comi um raviolone com frutos do mar que quase "levitava", além de ser delicioso), de sabores inesperados. Não é à toa que seu Café Constant, que nem é grande, tem fila na porta.

ANIMAÇÃO EM UM CENÁRIO DEZ!
No fim do dia, fiz o balanço: corri muito bem (graças ao Renauld) e comi muito bem também (graças ao Eduardo). Mas o que eu faria nos outros dias em que estivesse em Paris de férias? Bem, com relação à programação cultural, eu sabia que poderia me garantir (só posso agradecer que existam cidades como essa, que tem sessão de cinema pela manhã!). Mas e as atividades físicas? Como não teria um personal todos os dias – especialmente um que cobre em euros! –, resolvi criar um circuito para mim: todo fim de tarde, eu saía do meu hotel no Marais, atravessava o rio Sena para a margem esquerda (la Rive Gauche), onde havia uma pista mais contínua para caminhar, e ia correndo da altura do Institut du Monde Arabe até a entrada do Museu do Louvre.

Ao todo, ida e volta, eu passava por baixo de uma dúzia de pontes, num percurso de mais ou menos seis quilômetros. Túneis, escadas, portões, rampas – tudo colaborava para tornar aquele passeio o menos monótono possível. Ao contrário: apesar de fazer o trajeto todos os dias, sempre por volta das 18h30, eu ia animadíssimo, me surpreendendo a cada vez com uma paisagem que conhecia muito bem. As pessoas com quem eu cruzava – turistas, velhos com seus cachorros,

NOUVELLE CUISINE

PRATOS PARA DRIBLAR A CULINÁRIA FRANCESA

- Salmão de todas as formas
- Omeletes (de preferência com tomates e ervas)
- Bouillabaisse (um creme delicioso de frutos do mar)
- Steak frites (sem as "frites"... que são as batatas fritas!)
- Tarte tatin de tomates
- Napoleón (mil-folhas de legumes)
- Macarron (um só! É doce...)

Aqueles dias de sacrifício na academia já estavam ficando para trás...

músicos, estudantes, policiais, outros "atletas" como eu –, todo o conjunto era especial demais.

Tenho de admitir que, talvez pelos pequenos excessos de comida (e bebida) nessas férias, no primeiro dia que saí para correr cheguei muito cansado ao cipreste que marcava meu ponto de retorno – quase voltei de metrô. Insisti, inspirado por tudo a minha volta. Nos dias seguintes, já nem sabia mais o que era cansaço. Estava totalmente acostumado a fazer esforço e ficava ansioso quando sentia que iria me atrasar para a corrida. Nunca faltei – mesmo que tivesse que chegar atrasado a um jantar que havia marcado com amigos. Mas, garanto, fui recompensado.

Naquele cenário inacreditável, fiz as pazes com uma das atividades de que menos gostava – e achava até que "maltratava" o meu corpo. Talvez tenham sido as férias, as companhias... Quem sabe uma tomada de consciência de que o *Medida Certa* estava finalmente mudando alguma coisa em mim. Ou talvez já fosse hora de eu descobrir isso. Só sei que nessas minhas férias em Paris descobri que estava apaixonado por corrida!

O problema é que minhas férias – como todas as férias – estavam acabando. Na minha última corrida, fui um pouco mais além, não apenas até a ponta do Louvre, mas até a sua porta, bem em frente à moderna pirâmide de vidro que hoje enfeita a sua entrada. E, enquanto recuperava a respiração, olhei tudo em volta e senti uma satisfação enorme de estar mudando a minha vida. Sabia que ia voltar para o meu país, os meus amigos, os meus amores, o meu trabalho – mas não ia voltar para o corpo que tinha antes. Au revoir!

Fim da semana 6 Zeca

Semana 6
Renata

Cintura - mais - FINA

Já havia tentado emagrecer outras vezes, mas esta foi a primeira em que perdi medidas em uma área espetacular: abdômen e cintura

O Zeca entrou em férias. No meio do projeto, ele entra em férias! Já estavam programadas, tudo bem, e era mesmo uma boa ideia mostrar que, mesmo nas férias, você pode continuar no estilo de vida *Medida Certa*. Eu só não precisava ter acordado tão gripada naquela semana. Ele em Paris, e eu doente em casa. Que raiva!

O Atalla tinha marcado um jogo de vôlei na praia, mas eu disse que estava doente e perguntei se ele achava recomendável eu me esforçar. A Marcela Amódio, nossa produtora, companheira, escudeira, anjo da guarda e grande responsável pelo sucesso do *Medida Certa*, deve ter duvidado do tamanho da minha gripe. Ela achou melhor ir lá pra casa com o Atalla. Para ela, era importante gravar tudo. Se eu estava com gripe, tinha de mostrar para as pessoas em casa o que fazer nesse caso. Pode-se fazer exercício físico? Que tipo de atividade? Em que intensidade?

Pelo menos aconteceu uma coisa boa. Quando o Marcio chegou e

me viu, seu rosto imediatamente ganhou uma expressão de espanto. E não era pelo meu estado gripal. Era porque ele estava me achando mais magra. Eu também estava me achando mais magra. Realmente, naquela semana, já dava para notar a diferença em frente ao espelho e também nas roupas.

No dia anterior, tinha acontecido uma coisa engraçada. Quando fui dar uma corrida na areia, percebi que meu top de ginástica estava largo. A primeira coisa que pensei foi que a empregada o tinha colocado na máquina de lavar e o elástico ficara mais frouxo. Mas depois caiu a ficha: mais uma vez, eu não estava acreditando em meus méritos. Não foi o top que alargou, e sim minhas medidas que estavam diminuindo graças aos exercícios e à reeducação alimentar que EU estava fazendo.

Essa foi a primeira vez, em dezenas delas, que tentei perder peso e percebi meu emagrecimento primeiro nas medidas, antes mesmo de o ponteiro da balança denunciar a perda. E justamente em um lugar onde sempre me disseram que era a última parte do corpo a afinar: abdômen/cintura, mais exatamente embaixo dos seios. Mas era óbvio que toda aquela região estava diminuindo.

TRÊS PARA UM E MEIO

Depois que o sono, a compulsão por doces e a ansiedade haviam melhorado, agora era a gordura abdominal que estava diminuindo, exatamente da forma como o Atalla disse que aconteceria. Eu sabia até qual era o exercício que provocava essa queima de gordura: era o treino de "tiro", aquele que fiz na lagoa, correndo três minutos e caminhando um minuto e meio durante 7,8 quilômetros.

O Atalla ter percebido que eu havia dado uma afinada foi a comprovação de que realmente isso estava acontecendo. Sim, porque só eu perceber não adiantava. Para eu ficar satisfeita, o Atalla precisava dizer, e o público em casa, notar. Enfim, eu tinha tudo para estar feliz, mas estava muito brava com aquela gripe. O Marcio achou melhor eu não treinar nos próximos três dias. Fiquei triste, mas entendi também que o melhor seria me recuperar. E o Zeca em Paris. Em férias! Tinha de aparecer no programa aquela hashtag criada pelo Rafael Carregal, nosso editor: #não vale.

Com o Zeca em Paris, a "vigilância" do *Fantástico* voltou-se toda para mim. Explico: tínhamos uma equipe que se revezava entre mim e o Zeca. Com meu parceiro em férias, pelo menos umas oito horas por dia a equipe ficou comigo naquela e em todas as semanas em que o

Zeca viajou. Eu sentia falta dele, claro, porque só nós sabíamos quantas transformações estavam ocorrendo em nossas vidas, e falar sobre elas era importante, além de divertido. Mas, tendo maior convivência com a equipe, acabei ganhando uma amiga maravilhosa.

Eu já trabalhava havia anos com ela, mas nesse meu momento de "fragilidade", quando estava abrindo particularidades da minha vida pessoal, a porta da minha casa, do meu guarda-roupa, da minha cozinha, dos meus medos, das minhas inseguranças, a Marcela Amódio, produtora da série, foi de uma delicadeza e de uma doçura que jamais esquecerei. Era disso que eu estava precisando nesse momento em que chegávamos praticamente à metade dos noventa dias: uma pessoa dócil como ela do meu lado, para equilibrar o meu jeito um pouco "agressivo" de agir em determinadas situações de estresse.

UMA TARDE NO SUPERMERCADO

O Zeca em Paris, e eu gripada, inquieta dentro de casa, impedida de fazer ginástica. Então, fui ao supermercado com a Célia, cozinheira de casa, onde a nutricionista Mônica Dalmácio nos esperava. A ideia era a Mônica nos ensinar a fazer melhores escolhas na hora das compras. Assim, daríamos boas dicas a quem estivesse nos assistindo em casa.

Reaprender a comer e passar pequenas dicas de alimentação foi algo que realmente me encantou durante o *Medida Certa*. Acho que as pessoas deveriam dar mais importância a todo tipo de informação, e não só àquelas que lhes interessam na vida prática.

Por exemplo, você não precisa comer de maneira saudável o tempo todo, e nem de vez em quando, se não quiser. A opção é sua, a vida é sua, e ponto. Mas você não pode ser ignorante no assunto. Deve ter informação. Se não quiser praticá-la, tudo bem, mas não diga que não sabia.

Eu e Célia no supermercado, recebendo dicas da nutricionista Mônica Dalmácio.

FOI COM ESSA MANEIRA DE PENSAR QUE ENCAREI UMA LONGA TARDE DE SUPERMERCADO COM A NUTRICIONISTA MÔNICA DALMÁCIO. O QUE APRENDI:

ARROZ
Do ponto de vista nutritivo, o melhor arroz é o integral, depois vem o parboilizado e, por último, o agulhinha. Quanto menos "casca", menos valor nutricional.

Se você optar pelo integral, saiba que a medida são quatro xícaras de água para duas de arroz. Ou seja, o dobro da água usada no cozimento do parboilizado e do agulhinha.

Para cozinhar o arroz integral de maneira mais rápida, use a panela de pressão. Cubra o arroz com apenas uma lâmina de água, bem rasinho mesmo, e cozinhe por vinte minutos.

SAL COMUM OU SAL LIGHT?
O sal light, que contém menor teor de sódio, é recomendado aos hipertensos. Mas, por conter potássio, não é indicado para quem tem problemas renais.

CARNE VERMELHA
Prefira as menos gordurosas, que em ordem decrescente são: lagarto, filé-mignon, alcatra, chã e patinho.

A Mônica me explicou que não se deve comer só um tipo de carne. O ideal é variar durante a semana, ou seja, comer peixe, carne vermelha e frango. Eu acrescento ainda a soja, que entrou em minha vida definitivamente. Perdi o preconceito, e a Célia tem receitas deliciosas!

CARNE MOÍDA
Tem de moer na hora! Existe inclusive legislação que obriga a isso. O ideal, do ponto de vista higiênico, é moer a carne em casa, mas se a opção for o supermercado, peça para o funcionário moer na hora, na sua frente.

CLARA DE OVO
É considerada o padrão-ouro de qualidade de proteína. Se você quiser substituir o queijo, muito gorduroso, a dica é fazer uma omelete de claras com tomate picado e orégano. Como recheio de sanduíche fica delicioso! Mas atenção para o excesso de proteína. Ela deve ser no máximo de 20% a 25% de tudo o que você consome em um dia.

Se você comer três ou quatro claras, corre o risco de ter um problema renal por excesso de proteína.

ÓLEO DE CANOLA OU DE SOJA?
A nutricionista explicou que todo óleo, quando aquecido, gera uma gordura de qualidade ruim.

Se for consumir óleo de canola, que seja em temperatura ambiente, como azeite. Se for aquecer, prefira o de soja, mais resistente à temperatura do que o de canola, ou seja, demora um pouco mais para gerar a gordura de má qualidade.

LEITE
Entre integral, semidesnatado e desnatado, fique com o semidesnatado, que não tem a gordura do integral e contém mais nutrientes – como o cálcio, por exemplo – do que o totalmente desnatado. A nutricionista diz que o desnatado só é recomendado às pessoas que têm problemas de saúde, como colesterol aumentado.

FOLHAS
Quanto mais escuras forem, maior será a concentração de nutrientes.

FEIJÃO
É tudo de bom em matéria de alimento! O arroz e o feijão se completam, formam uma dupla excelente para a nossa saúde e, sabe-se lá por quê, vêm sumindo do prato do brasileiro.

A dica é deixar o feijão de molho na noite anterior e trocar essa água na hora de cozinhá-lo. Assim, evita-se a formação de gases.

Adorei as dicas que recebi no supermercado. Saí dessa entrevista pensando como é importante ter informação sobre tudo o que levamos para dentro de nosso corpo. O problema é que muitas vezes nos satisfazemos com as informações da publicidade e desconhecemos detalhes importantes, como a diferença entre o óleo de soja e o de canola.

Fala-se muito em educação alimentar nas escolas. Mas, para educar alguém do ponto de vista da alimentação, não basta dizer o que faz bem ou mal. É preciso explicar o porquê. Assim, a pessoa será capaz de fazer sua escolha. O problema é que a publicidade de produtos alimentares é tão agressiva que deixou a gente com preguiça mental de pensar mais a fundo sobre isso.

NÓS, UM EXEMPLO

Nessa sexta semana, o assédio nas ruas se intensificou. Eu começava a ficar impressionada. A todo momento alguém me olhava e vinha conversar comigo sobre o *Medida Certa*. E os depoimentos eram sensacionais.

Entrei para tomar um café em uma galeria aqui no Rio, e a garçonete veio me contar que, inspirada no *Medida Certa*, decidiu levar a filha a pé para o colégio antes de vir para o trabalho. Antes, ela fazia esse trajeto de ônibus. Foi o tempo que ela conseguiu para ter alguma atividade física.

Esses depoimentos foram se multiplicando. As pessoas estavam realmente se envolvendo com o programa. "Por que seria?", eu me perguntava. Claro que a força de penetração do *Fantástico* é inquestionável. Mas o programa tem tantos outros quadros interessantes que não fazem o mesmo sucesso. Por quê?

Várias respostas me foram dadas, mas a que mais condizia com aquilo que eu via e ouvia nas ruas era que eu e o Zeca estávamos sendo verdadeiros e mostrando a verdade. Apesar de consumirem as revistas com modelos maravilhosas na capa dizendo que, para emagrecer e ficar com aquele corpo maravilhoso, sarado, a única coisa que fazem é tomar oito copos de água por dia, as pessoas estão cansadas de propagandas enganosas, de perseguir um modelo de beleza obtido à custa de remédios, suplementos e bombas vendidas livremente em farmácias e academias.

Acho que, torcendo para que a nossa reprogramação desse certo, elas estavam torcendo por algo que estava ao alcance delas, e não dietas milagrosas e impossíveis de ser levadas para o resto da vida.

UM PRESENTE A CADA DIA

Apesar da gripe, foi uma semana produtiva em termos de conhecimento. E dois dias depois, e não três como o Atalla recomendara, eu estava de volta à atividade física. Fiz uma pedalada leve de quarenta minutos na praia, cerca de seis quilômetros. Tão leve que em seguida fui para uma aula de spinning. Mas aí foi demais. Saí cansada. Mais uma vez, exagerei, e o Atalla ia ficar bravo, com razão.

> **FICA A DICA**
> - Quanto mais escuro for o arroz, melhor.
> - Temperos prontos têm muito sal e gordura. Prefira os temperos in natura.
> - Não faça compras no supermercado com fome. Você vai comprar mais.
> - Evite salsicha. Ela contém muita gordura e muito corante.

Depois da aula, mergulhada em um prato de salada de frutas, provoco o Zeca com um SMS: "Estou me cuidando, já malhei e estou comendo uma salada de frutas".

Ele responde: "Não quero te provocar, mas estou em um restaurante marroquino, me despedindo de Paris e comemorando meu aniversário atrasado".

Em vinte anos de convivência profissional com o Zeca, desde os tempos em que ambos trabalhávamos na TV Cultura de São Paulo, eu sempre soube que ele era festeiro. Sua alegria de viver não é segredo para ninguém. Ele está sempre e impressionantemente bem-humorado, é espirituoso, tem uma ironia engraçada.

Mas precisei viver esse projeto de noventa dias ao lado dele para descobrir como ele consegue manter o bom astral. Vi que o segredo é que ele comemora a vida e se presenteia o tempo todo. Tudo é motivo para comemorar e para se presentear. Exatamente o oposto do meu jeito de ser. Só comemoro o que é extraordinário e tenho tendência a não reconhecer as minhas virtudes, e muito menos me permitir qualquer agrado por conta delas.

Até nisso o *Medida Certa* está influenciando a minha vida. Estou ficando mais leve no peso e no jeito de levar meu dia a dia.

Fim da semana 6 Renata

Semana 6
Atalla

Perder peso não significa EMAGRECER

O mais importante é se concentrar na circunferência abdominal. A balança não conta a história toda

Muitas pessoas pensam que perder peso e emagrecer é a mesma coisa. Não é verdade. Por isso, os ponteiros da balança nem sempre são bons indicativos.

Emagrecer é perder gordura, é diminuir a quantidade de gordura que a pessoa tem no corpo. Perder peso é simplesmente diminuir o peso, não importa se o que se perde for água, massa muscular ou gordura. É muito comum a pessoa fazer uma dieta restritiva, normalmente cortando carboidrato, e em uma semana perder quatro quilos.

Quando se faz uma avaliação para ver o que foi perdido, ou seja, quando se mede a porcentagem de gordura, verifica-se que a pessoa apresenta um percentual

de gordura maior, apesar de o peso estar menor. Isso significa que ela perdeu líquido e massa muscular, e não apenas gordura.

Por isso, medir a circunferência abdominal e prestar atenção às roupas que se usa é o melhor indicativo quando se inicia um programa de treinamento físico e de melhores hábitos alimentares. Nessa hora, ganhamos massa muscular e perdemos gordura. Como o mesmo peso de gordura e músculo tem volumes diferentes, a circunferência diminui, e o peso na balança nem sempre diminui na mesma proporção: um quilo de músculo tem um volume bem menor que um quilo de gordura.

Fim da semana 6 Atalla

Semana 7
Zeca

"AQUILO"
estava dentro de mim?

Era "de mentira", de resina amarelada, mas a peça que o Atalla mostrou imitava 2,5 kg de gordura. Olhar para ela foi impactante, diria até que senti nojo

Balança, como sempre digo, não é uma coisa importante para mim. Mas nessa semana, por razões que você logo vai entender, ela se tornou minha melhor amiga. Não sem antes eu hesitar bastante para subir nela.

Estávamos na metade do projeto *Medida Certa* e, como havíamos combinado, era o momento de fazer as primeiras medições. Sei que é difícil acreditar nisso, mas, durante as últimas seis semanas – com exceção de uma escorregada um dia na academia (que mexeu com meu humor) –, consegui ficar longe da balança. Como? Digamos que resolvi adotar uma postura zen com relação ao meu peso.

Aconselhado pelo Atalla – e pela nutricionista Laura Breves, cujo consultório iríamos visitar nessa semana –, consegui driblar a ansiedade e, em vez de ter "pequenas boas notícias" (700 g numa semana, mais

500 g na outra), preferi ter uma "grande e excelente boa notícia" depois de um período maior. Era nisso que eu estava apostando.

Minhas férias em Paris duraram pouco mais de uma semana. Foram dez dias de excessos na capital mundial da gastronomia, e eu estava na dúvida se, em termos de *Medida Certa*, eu havia andado para a frente ou para trás. Como contei no capítulo anterior, não deixei de me exercitar um dia sequer. Melhor do que isso, descobri, naquela cidade maravilhosa, o prazer de correr – deixei de achar que uma corrida seria um sacrifício.

Chegou a hora de correr? Era só colocar um tênis e pronto! A resistência tinha ido embora – junto com a preguiça. Os 45 ou 50 minutos que eu gastava fazendo esse treino deixaram de ser um fardo. Passei a pensar: "Bem, eu poderia ler uma revista, escutar uma música ou mesmo ficar de bobeira... Mas também posso aproveitar esse tempo correndo" – e logo lá estava eu no exercício. Quer saber o que mais me motivava? A sensação que eu teria depois.

BENEFÍCIO, E NÃO SACRIFÍCIO

Morro de medo de assumir, neste livro, o tom daqueles volumes de autoajuda. Mas, para falar desse benefício, tenho quase que adotar um tom confessional. Quem está começando a fazer exercício (ou simplesmente retomando uma rotina abandonada há muito tempo) deve ouvir sempre as mesmas frases: "Pense no que vai sentir depois que se exercitar. Você sai da atividade física com a sensação de missão cumprida!".

Isso é verdade, mas não traduz exatamente a sensação – é mais do que isso! É como se você percebesse, todos os dias, que aquilo fez muito bem a você e que a relação custo-benefício é muito positiva. Uma vez que seu corpo já está acostumado ao exercício, aquele tempinho que você gasta se mexendo reverte num benefício enorme para o seu bem-estar – que supera (e muito) o aparente sacrifício que você se propõe a fazer. Não é sacrifício

A essa altura, meus pratos já eram naturalmente balanceados.

nenhum, acredite! Pelo menos depois de um, digamos, complicado investimento inicial. A essa altura – seis semanas depois de termos começado o *Medida Certa* –, isso já estava incorporado. E eu voltava ao Brasil disposto a não recuar em minha determinação de me exercitar.

Porém, embora eu mostrasse todo esse entusiasmo com relação à atividade física, tinha cá minhas dúvidas quanto ao que estava acontecendo, de fato, com o meu corpo. Minha percepção era de que pouca coisa havia mudado. Antes da viagem a Paris, é verdade, o Atalla até me dera uma boa notícia: eu havia perdido alguns centímetros na cintura. Só que eu não estava me vendo como uma pessoa mais magra. Entendo que essas coisas não acontecem de uma hora para a outra. Assim como você não percebe que está engordando – um dia você acorda, vai experimentar aquela roupa e... –, quando faz o caminho inverso também é difícil perceber o que está acontecendo com você.

Era engraçado: parecia que, quando começamos o projeto, eu já havia "aceitado" que minha figura era aquela de um cara pesadão – grande, com aquele corpanzil. Era isso que eu tinha me tornado aos 48 anos – uma idade em que, diga-se, a gente já perdeu boa parte das esperanças de mudar alguma coisa. Não que eu não estivesse levando fé no projeto – eu acreditava (e muito) que ele traria algum benefício. O problema era que eu não estava vendo isso se traduzir em um resultado estético.

NÓS E O PÚBLICO
Na primeira vez que encontrei Atalla e Renata, depois das férias, para uma corrida na praia, vim com esse discurso. Acho que era uma defesa. Eles, como que num coral ensaiado, se apressaram em me dizer que eu tinha voltado mais magro. Mas eu achava que eles diziam isso só para me agra-

> **VOX POPULI**
> AS COISAS QUE MAIS OUVIA DAS PESSOAS NA RUA
> - "Meu marido é igual você: não fazia nada
> - "Ainda tá de mau humor, Zeca?"
> - "Já perdi (X) quilos com o Medida"
> - "Você é a inspiração dos gordinhos!"
> - "Corre Zeca!"
> - "Deixa eu ver o que você está comendo?"

dar. Eu misturava todas essas informações na minha cabeça e tentava desviar o assunto – outra provável estratégia de defesa para me preparar para as más notícias que eu achava que viriam na consulta marcada para o final da semana no consultório da Laura. Tão desconfortável eu estava com aquela conversa que quis cortá-la e ir direto para a corrida, o que teria sido fácil se estivéssemos em outro lugar que não a praia de Ipanema.

Explico: devido à popularidade do quadro (já no ar havia um mês e meio no *Fantástico*), as pessoas na rua praticamente não nos deixavam gravar. As interferências iam do mais inocente "parabéns" até uma tentativa de conversa confessional, quando alguém queria me contar que passou pelas mesmas dificuldades que eu estava enfrentando – a maioria delas relacionadas ao meu mau humor na fase inicial.

Essa interatividade com o público, apenas pontual naquelas primeiras semanas, agora era uma constante – como se as pessoas sentissem necessidade de se manifestar de alguma maneira (até para dizer – não sei se num tom de provocação ou de franqueza – que ainda precisávamos perder muito peso). Eu e Renata, claro, adorávamos isso. Era uma prova do sucesso do programa e do carinho de quem estava nos acompanhando – o que, inevitavelmente, revertia em um reforço para a nossa atividade. Mas que, de vez em quando, atrapalhava a gravação, atrapalhava mesmo. Lembro até que nesse dia Atalla olhou para a câmera e desabafou: "É muito difícil gravar com o Zeca" – esquecendo, claro, que a "culpa" era também dele! Era a sua ideia do *Medida Certa* que estava mexendo com tanta gente.

Mas, driblando toda essa torcida, consegui dar uns tirinhos de corrida em pleno calçadão de Ipanema – e acho que surpreendi até o próprio Atalla. Estava bem – e tinha certeza de que isso era um rescaldo do

> "A popularidade do *MEDIDA CERTA* já se refletia nas pessoas nas ruas"

prazer de correr que eu havia descoberto finalmente em Paris. Nosso "guru" fez seus elogios – ainda que de maneira contida. (Sabe aquela atitude de instrutor, de que nunca é bom elogiar demais, senão a pessoa acha que já pode "fazer corpo mole"? Pois é, com o Atalla não é diferente.) Eu, de fato, estava bem disposto. A paisagem era outra: no lugar das fachadas parisienses, aquela natureza maravilhosa do Rio de Janeiro. Mas a disposição era a mesma. E eu estava contente.

A PAISAGEM CONTA

Não estou frisando o visual dos lugares onde eu corria à toa. Além de Paris e de Ipanema, minha outra opção era a lagoa Rodrigo de Freitas, também no Rio – e, se você se lembra, nas semanas anteriores corri no Griffith Park, em Los Angeles, e em South Beach, em Miami. O que estou querendo dizer é que desenvolvi essa paixão pela corrida em parte por causa dessa relação com o espaço aberto. Acho que não saberia correr se não fosse assim. Claro que, nas academias, eu fazia outros exercícios aeróbicos – sobretudo o *transport*. Mas, por essa relação com a paisagem, a ideia de correr em uma esteira, num ambiente fechado, era terrível – e resisti a todos os pedidos do Atalla para que eu fizesse isso. Até o dia em que a esteira foi inevitável – mas isso conto mais para a frente.

Foi nesse espírito, com o astral lá em cima, que seguimos para o consultório da Laura. Tanto eu quanto a Renata estávamos com a expectativa nas alturas. Meu compromisso não era só comigo, mas com alguns milhões de espectadores – e eu não queria decepcioná-los. Aliás, não queria decepcionar nem a Laura! Por isso, tratei de fazer boa impressão logo na chegada ao consultório.

A praia de Ipanema também era uma opção de corrida.

Naquela conversa preliminar, para saber como andavam meus hábitos alimentares, fui relativamente bem. O hábito de beber água – tive de ser honesto –, eu ainda não havia incorporado. Mesmo seis semanas depois do início do *Medida Certa*, beber água era um dos principais compromissos que eu havia fechado com o projeto.

Todo mundo me dizia que eu ia acabar gostando, mas, por enquanto, eu ainda encarava um copo d'água como remédio.

Laura, como era de esperar, não gostou nada dessa história. Mas se animou quando contei que havia reduzido a quantidade de álcool a praticamente zero. E que, no meu prato, já quase não entravam frituras. As frutas estavam definitivamente incorporadas a minha dieta – mais até do que antes de entrar na reprogramação corporal.

UM BOM BIFE TODOS OS DIAS
A única coisa que talvez estivesse incomodando era o meu consumo de carne vermelha. Como todo brasileiro, adoro um bom bife! Somos de um país que praticamente "inventou" a churrascaria rodízio. (Lembro que, há anos, recebi amigos americanos e os levei a uma churrascaria. Eles ficaram hipnotizados com a quantidade de comida que era servida – "mondo carne", eles apelidaram o lugar!) E eu não sou diferente.

No dia da primeira medição, antes de a fita métrica dar seu veredicto, uma refeição bem leve.

Tinha, até essa semana, o costume de comer carne quase todos os dias. "Menos" – declarou Laura. E já comecei a pensar numa boa oportunidade para me "despedir" dela (da carne vermelha, não da Laura!). Como ia a Buenos Aires na semana seguinte, por conta de um compromisso, achei que ali seria o lugar ideal para esse adeus.

Depois da conversa, finalmente começamos a tirar minhas novas medidas. Elas ainda estavam longe do ideal, mas já traziam boas notícias. Começando pelo braço, que havia diminuído dois centímetros. No tórax, quase a mesma coisa: perdi 2,6 centímetros.

Fiquei meio cismado – especialmente porque, quando você faz muita musculação (e eu estava revezando esse tipo de atividade com os exercícios aeróbicos), a expectativa é de que você ganhe massa muscular. De fato, como aprendi em seguida, eu havia ganhado alguma coisa. Mas esses centímetros a menos no braço e no tórax indicavam perda de gordura. Comecei a ficar animado.

CINTURA (QUASE) FINA Então, fomos para a cintura – a temida cintura. Antes de ir a Paris, Atalla tinha me dado uma boa notícia: eu já estava com quase cinco centímetros a menos. Será que, depois da "farra em Paris", eu tinha conseguido manter isso – ou quem sabe até perdido mais alguma coisinha? A cara que Laura fez não foi boa. O clima pesou no consultório. Depois de colocar a fita métrica na minha cintura, ela, preocupada, chamou o Atalla e pediu para ele conferir: segundo ela, eu havia ganhado alguns centímetros. Seria possível?

Claro que não! A culpa não era da minha cintura, mas da matemática da Laura. Em vez de fazer uma conta para menos, ela fez para mais – e concluiu, erroneamente, que eu havia ganhado alguns centímetros na cintura. O que não era verdade, claro. A nova medida, certificada pelo Atalla, era de 104 centímetros – ou seja, eu havia perdido nada menos que seis centímetros! Uma ótima notícia.

Para fechar comemorando, só faltava a balança. Que, diga-se, também foi generosa comigo. Dos meus 111,4 quilos iniciais, eu agora estava com 107,4 quilos. Tinha perdido quatro quilos, redondinho!

O único detalhe que ainda estava incomodando era o tal IMC – o índice de massa corporal, que tinha baixado relativamente pouco: era 31,5 e agora estava em 30. Isso significava que eu ainda estava beirando o limite da obesidade. Sim, aquela categoria tão temida, que fizera que a própria Laura tivesse dificuldade de falar comigo na primeira consulta, ainda me assombrava. Mas ainda estávamos na metade do caminho – e saí confiante para a sala de espera, enquanto a Renata tirava as suas medidas (e saía, logo em seguida, com a mesma cara de felicidade, pois suas medidas também tinham diminuído – só de cintura, ela tinha perdido cinco centímetros!).

Eu e Renata comemorando a gordura perdida... A peça de resina equivale a 2,5 kg.

Por conta disso, o clima da nossa conversa final foi quase de euforia. Quando nos sentamos para conversar, num café ao lado do consultório, ficamos ainda mais animados. Isso porque o Atalla levou uma surpresa para o nosso encontro: uma peça de resina, imitando uma grande massa de gordura, equivalente a 2,5 quilos – exatamente o que a Renata havia perdido de gordura. A visão "daquilo" era aterrorizante. Ou melhor, era nojenta! Uma espécie de gosma amarelada, repugnante, mas que, segundo o Atalla, não era muito diferente da gordura.

Junto com essa peça, ele levou uma que representava o mesmo peso – 2,5 quilos – só de músculos. Essa, sim, era uma maravilha. O que estava acontecendo, explicou o Atalla, é que estávamos substituindo uma coisa pela outra. E o corpo não tinha outra coisa a fazer, a não ser agradecer muito.

Atalla sabia o que estava fazendo. O efeito que ele quis causar era totalmente psicológico – e conseguiu. Achei que, pelo menos naquela noite, teria pesadelos com "aquilo". Ninguém, em sã consciência, se despede daquele monte de gordura e quer tê-lo de volta. Ao contrário: quer ficar livre de mais. E agora só tínhamos mais cinco semanas para chegar lá. Por mais confiantes que estivéssemos, a pergunta não me deixava em paz: será que íamos conseguir?

Fim da semana 7 Zeca

Semana 7
Renata

O dia em que CHOREI

Quando vi as imagens que iriam ao ar, desabei. Fiquei me perguntando em que momento perdi a noção do tamanho do meu corpo. Por sorte, Marcela, a produtora, me deu total apoio

Foi entre a sexta e a sétima semana que me dei conta do que é estar em um reality. Não que eu estivesse 24 horas por dia sob a vigilância de câmeras. Estava, sim, durante boa parte do meu tempo, mas não foi isso que fez com que eu me sentisse "personagem". Comecei a me sentir em um reality quando passei a ver minha imagem na televisão em ângulos do meu corpo que eu não conhecia, aqueles que a gente não enxerga no espelho.

Por mais que na minha profissão de repórter de TV eu me visse na telinha o tempo todo, no *Medida Certa* era diferente. Eu não aparecia fazendo uma entrevista, sentada ou em pé, de frente, em uma posição previamente produzida com o auxílio do cinegrafista.

Meu corpo estava sendo mostrado na televisão de todo jeito: de lado, de perfil, de costas, detalhes da minha coxa grossa correndo na areia, aquelas gordurinhas que insistem em saltar para os lados bem em cima do cós da calça, tudo o que sempre procurei "disfarçar" com as roupas e me posicionando estrategicamente em frente às câmeras agora fugia ao meu controle.

Antes de os episódios do *Medida Certa* irem ao ar, eu e o Zeca assistíamos e opinávamos. Afinal, somos dois jornalistas, e nada poderia comprometer nossa imagem. Em muitas imagens gravadas que vi antes de irem ao ar eu me odiei, e, como não comprometiam o entendimento de nenhum fato, eu pedia para trocar.

Você pode imaginar que coisa mais constrangedora dizer a toda hora: "Será que não teria outra imagem melhor, que me privilegie mais do que essa onde estou uma baleia?". Era constrangedor para mim e, imagino, também para os editores, o Rafael Carregal e o Filipi Nahar, que deviam ficar sem graça ao responder: "Mas você não está em um reality de emagrecimento? Não está vendo que você está gorda mesmo?". Muito educados, eles diziam que eu estava ótima, mas concordavam em trocar a imagem. E trocavam.

E dá-lhe Vista Chinesa...

IMAGENS TRISTES
Como vocês podem ver, não sou muito generosa comigo mesma quando me vejo pelo olhar do outro. Eu tinha certeza de que todos estavam me chamando de baleia. Tinha certeza absoluta! E olha que melhorei muito! Minha terapeuta, Gladis Blum, demorou dez anos para me fazer enxergar essa falta de "amizade" comigo mesma. Eram pensamentos duros que as pessoas da equipe – pelo menos eu imaginava – estavam tendo a meu respeito. E fui para o fundo do poço de tristeza.

As maiores baixas na autoestima aconteceram entre a sexta e a sétima semana, quando assisti na ilha de edição a algumas imagens do episódio que iria ao ar. Não gostei de nenhum take meu. E não adiantaria pedir para

trocar. Qualquer que fosse a imagem, daria na mesma. Eu estava gorda e ponto. Pior. Eu já estava mais magra, todos já estavam notando e, mesmo assim, estava horrível!

"Quando foi que perdi a noção do meu tamanho? Renata, o que aconteceu com você?", eu me perguntava. "Como deixei meu corpo chegar a esse ponto? Quadrada demais em umas partes, redonda demais em outras, disforme, horrorosa." Com esses sentimentos, nem conseguia prestar atenção na edição.

Comecei a me descontrolar internamente. A ilha de edição estava lotada, e eu não conseguia mais segurar aquele nó que começou a se formar na garganta. Levantei, para ninguém perceber o que estava ocorrendo, e voltei para a redação, onde encontrei a Marcela, a produtora, e... não me lembro bem, mas acho que era o Atalla que estava com ela. Quando comecei a falar, desabei.

LIVRE DA ANGÚSTIA Acho que foi o olhar bondoso da Marcela – sim, ela é uma pessoa boa, do bem – que me deu segurança para colocar aquela angústia toda para fora. Se ela estivesse pensando no reality naquele momento, só pensaria em pedir para gravar. Imagine: a crise de choro da Renata ao se ver gorda no vídeo! Ela tinha até uma câmera ao lado, mas pensou em mim em primeiro lugar. Respeitou meu momento. Conversamos, falei tudo o que estava sentindo, ela me ouviu, e saí aliviada. Saí também mais forte. Até escrevi sobre esse momento em nosso blog, mas não gravei nem um minuto no "confessionário". Que delícia poder contar esse desespero agora sem nó na garganta. Ao contrário, feliz da vida com as minhas conquistas.

Na época em que fazia terapia, descobri que se tivesse dificuldade de lidar com alguma dificuldade na minha vida, eu simplesmente a ignorava, deixava-a escondida em algum lugar dentro de mim. E esquecia. Era como se, ao invés de jogar "o lixo" fora, eliminando o problema de vez, eu o escondesse debaixo do tapete. O problema é que chega uma hora em que toda aquela poeira será varrida.

Era o que eu estava fazendo: levantando o tapete para varrer a poeira, os maus-tratos com o meu corpo, a minha imagem, a minha saúde. Um encontro difícil comigo mesma.

Mas o choro e meu desabafo com a Marcela me fizeram bem. A poeira saiu de debaixo do tapete e causou uma sensação de alívio. E a luta tinha de continuar. Afinal, estava sendo bom. Muitas pessoas nos toma-

vam como exemplo, e receber o carinho do público pelo blog, ou pessoalmente na rua, me deixava muito feliz. As pessoas estavam se sentindo incentivadas, mas eram elas que estavam me incentivando, cada vez mais.

INTERVENÇÃO DO PÚBLICO
"Quanto você já perdeu? Está conseguindo perder? A dieta está funcionando?" Na sétima semana do *Medida Certa*, eu respondia a essas perguntas vinte vezes por dia. Ao mesmo tempo que a torcida do público me incentivava, também me desesperava. E se eu não perdesse a quantidade de quilos que todas aquelas pessoas estavam esperando?

Mas não valia a pena ficar pensando muito nesse assunto. O importante é que eu estava estimulada para o exercício físico. Para que nenhum dos exercícios ficasse cansativo, a cada semana o Atalla inventava uma modalidade diferente para eu e o Zeca experimentarmos.

Essa era a semana de reforçar para o público a ideia de que o importante é escolher uma atividade física de que você goste, para que ela realmente se torne uma rotina. Caso contrário, fica muito mais fácil desistir. Afinal, é impossível alguém não gostar de nada: correr, nadar, dançar, pular corda, pedalar, remar, surfar, jogar vôlei, basquete, futebol, nem que seja só caminhar! Subir escadas! Enfim, de alguma coisa você deve gostar.

Experimentando mais um esporte: vôlei na praia.

A MEDALHISTA E EU
Nessa onda de diversificar as atividades, o Atalla me levou para um vôlei na praia à noite e chamou, para ser minha parceira de time, sabe quem? A medalhista olímpica Adriana Samuel. Ele pegou pesado, né? Não fiz feio. Joguei direitinho, mas me deu cansaço. Foi interessante conversar com a Adriana. Ela, magérrima, tinha acabado de ter um filho e estava preocupada em voltar à boa forma. Como se já não estivesse ótima, né? Mas entendo que o padrão de atleta seja outro.

Todos ficaram surpresos de me ver jogar direitinho. O vôlei é um esporte que eu adorava na infância, especialmente na época de colégio, quando organizávamos campeonatos e eu também jogava no clube, em São José do Rio Preto, por diversão.

Enquanto jogava na praia com o Atalla, a Adriana e um colega deles, me lembrei dessa época e pensei quanto foi importante ser incentivada para o esporte na infância. Em nenhuma de minhas lembranças o esporte aparece como sacrifício, obrigação, nada disso. Só como lazer, diversão, prazer.

PEIXINHO DESDE CEDO
"Prazer" é a palavra-chave. A atividade física precisa estar associada ao prazer. Fiquei com uma vontade enorme de agradecer a meus pais por isso. Meu pai me incentivou muito na natação. Ele mesmo não sabe nadar, mas me colocou na piscina com boia logo cedo, e me inscreveu na aula de natação, com o professor Cabral, no Rio Preto Automóvel Clube, que eu frequentava quando tinha sete, oito anos.

Lembro do orgulho de meu pai quando me levava cedinho até a porta do clube, onde eu pegava o ônibus que transportava as equipes para competições nas cidades vizinhas. Lembro-me até hoje de meu tempo da época, que chegou a me dar algumas medalhas: 25 metros em 18,5 segundos. As provas eram principalmente de revezamento. É engraçado como as transformações no meu corpo foram me deixando mais sensível a essas lembranças.

Saí feliz daquela atividade. Além de ter me divertido e dado um estímulo diferente ao meu corpo, havia deixado uma mensagem bacana para os pais que têm filhos pequenos e para as escolas que não se importam muito em incentivar o esporte e o oferecem só com a intenção de preencher o currículo. O fato é que os esportes que pratiquei na infância ajudaram muito a "reativar" a memória de meu corpo para os exercícios. Espero que isso também esteja presente na "memória" do corpo dos meus filhos. Quando eram pequenos, Rodrigo jogou futebol, fez judô, basquete e natação. A Marcela também experimentou todos esses esportes, com exceção do judô. Ela adorava ginástica olímpica, e me agradece até hoje pelo seu corpo "alongado". Como o próprio Atalla disse: "Quem constrói esse acervo de movimentos na infância nunca mais esquece".

PRIMEIRA PESAGEM
Tanto eu quanto o Zeca estávamos tensos. Eu percebia no rosto e nas roupas que havia perdido peso, mas o que será que a balança diria?

Com a carga de exercícios diários, o Atalla me alertava de que eu estava trocando gordura por músculos e que isso nem sempre se refletiria em números na balança. "E quem disse que o público quer saber de números tão subjetivos, que não sejam os da balança?", eu lhe perguntava. Eu cobrava um número, e ele repetia, como um mantra, que a medida importante do ponto de vista de perda de gordura era a da fita métrica. Ok, você venceu, Marcio Atalla.

Confesso que não almocei naquele dia, na esperança de pesar menos na balança. A consulta estava marcada para as 14 horas, ou seja, eu almoçaria depois. Grande bobagem! Mas, enfim, com a ansiedade que eu estava sentindo, era melhor não comer antes de me pesar.

A primeira conversa foi para saber quais os hábitos que eu havia incorporado à minha rotina e quais eu ainda tinha dificuldade de introduzir na minha vida.

Nesse momento da "reprogramação do meu corpo", eu já estava bebendo mais água, mas ainda me policiava para não tomar menos que dois litros. Havia parado totalmente de beliscar e não sentia mais falta disso, muito provavelmente por estar mais hidratada, ou seja, quando meu cérebro mandava mensagens de fome fora de hora, eu logo percebia que aquilo era sede. E minha vontade de comer doces – minha alucinação especialmente por chocolates – havia diminuído 70%. Isso era bastante.

Momentos felizes, finalmente! Meu corpo começava a reduzir as medidas.

Mas esse era um momento perigoso para mim. Um mês e meio era o tempo máximo – acho que até um pouco menos que isso – pelo qual que eu já tinha conseguido seguir uma dieta sem "derrapadas", com disciplina para valer. E havia um motivo. Era nesse momento que eu desistia, já que o saldo era de muito sacrifício para pouco retorno. A diferença agora era que o retorno não se resumia ao ponteiro da balança. Eu estava atenta a outros benefícios que uma rotina mais saudável estava me proporcionando. Mas estava tensa com os primeiros resultados "oficiais".

A HORA DA VERDADE

E aqui estamos de volta ao consultório da dra. Laura Breves, nossa nutricionista.

E a balança ali no cantinho me esperando. Um mês e meio antes, eu havia confessado ao Brasil, e ao meu marido, que estava pesando mais de oitenta quilos. E agora estava novamente ali, para mais um momento constrangedor. Era hora de, novamente, deixar a pessoa física, a Renata, de lado e buscar a pessoa jurídica, a Renata Ceribelli, jornalista, repórter, que não pode se preocupar com esse tipo de vaidade. Nossa, pensando agora, que exercício de "desapego", não?

Achei desastroso o primeiro resultado: perdi um centímetro de braço. A Laura tentou me consolar, dizendo que mulher dificilmente perde medida no braço; que estava ótimo. Sorri, mas triste, com raiva, com ódio.

Nesse caso, a balança foi mais generosa do que a fita métrica: meus 80,3 quilos baixaram para 77,5. Perdi dois quilos e oitocentos gramas. Esse resultado, em um mês e meio, achei bom. Claro que eu queria mais, porém, desde o início eu sabia que milagres não acontecem. A perda de dois quilos e oitocentos gramas parecia razoável para sete semanas de mudança de hábitos. O corpo estava respondendo, e era isso que interessava.

E daí veio a medida que o Marcio considera a principal do ponto de vista da saúde e da real perda de gordura: a circunferência abdominal. Essa, sim, trouxe alegria para o rosto da nutricionista e do Atalla. Com minha experiência de repórter, posso dizer que conheço bem as reações das pessoas. Agora, sim, eles estavam muito contentes. Eu tinha diminuído cinco centímetros! E, no cálculo deles, perdi 2,8 quilos na balança, mas o principal era que, desses, 2,5 quilos eram gordura pura!

Eu estava tão insegura e nervosa que preferi deixar a avaliação por conta da Laura e do Atalla. Perguntei: "Era essa a expectativa?". Eles me responderam que as expectativas foram superadas. O Atalla sabia que eu queria ter perdido mais na balança. Não por mim, porque, para falar a verdade, eu já estava me sentindo mais bonita, minha pele estava mais bonita, meu marido me disse que eu estava mais bonita. O que interessava mais naquele momento era o programa, o que o público iria achar, o que as pessoas que toda hora me viam e paravam para conversar comigo na rua diriam. A reação do público sempre é uma surpresa.

O medo que eu tinha de não emagrecer transformou-se no receio de perder pouco peso na balança e o público achar que foi muito sacrifício para pouco resultado. Fiquei muito preocupada com isso, porque a mensagem seria a inversa. Será que as pessoas achariam que perdi pouco e não se animariam a fazer o mesmo? Seria um desestímulo à maneira saudável de emagrecer?

Ainda bem que meus medos eram sempre aplacados com a voz calma e aquele sorrisinho tranquilo do Atalla. Ele tinha tanta certeza, tanta segurança do que estava falando, que facilmente me tranquilizava.

O público reagiu bem. Que bom! Acho que houve uma identificação do público feminino. As mulheres sabem que não é possível emagrecer rápido e de maneira saudável. E meu corpo estava mudando, começava a ganhar curvas. O rosto estava afinando, e o principal: eu estava me sentindo muito feliz. Comecei a passar mais tempo na frente do espelho.

FICA A DICA
O esporte na infância aumenta as chances de formar adultos saudáveis.

Semana 7
Atalla

Nadar ajuda a QUEIMAR CALORIAS

O esporte exige que o corpo todo trabalhe: pernas, braços, além dos músculos localizados no abdômen. A natação é um esporte completo

Pela primeira vez, colocaria o Zeca e a Renata para nadar. É uma atividade física muito eficiente, já que promove ganhos cardiovasculares e de massa muscular. Além disso, não tem impacto, o que é ideal para quem está acima do peso.

Nadar é uma excelente atividade, porque trabalha a parte cardiorrespiratória e proporciona gasto calórico significativo.

Na prática, são exigidos os músculos das pernas e dos

braços, além dos localizados no abdômen. Outro dado importante é que a natação é uma atividade de baixo impacto e, portanto, não oferece os mesmos riscos de lesões causadas quando se praticam outros tipos de exercícios, como a corrida.

A temperatura ideal da água, quando você entra na piscina para dar suas braçadas, deve estar em torno de 28 graus Celsius. Não deve estar gelada nem muito quente, porque pode provocar uma sensação de desconforto e até causar um colapso no organismo devido ao choque da temperatura.

Fim da semana 7 Atalla

Semana 8
Zeca

Dormindo e
EMAGRECENDO

Sempre achei que dormir muito era perda de tempo. Mas aprendi que sono deficiente pode provocar acúmulo de gordura... na barriga!

Seria um sonho? Tudo que as pessoas queriam era não fazer esforço nenhum e ainda perder peso. Tudo de bom, não é? Só que a história não é bem essa. Existe, sim, uma relação entre sono e peso corporal, mas ela não é tão direta assim – nem tão milagrosa. Uma noite bem dormida é tudo de bom para quem quer ter um ótimo metabolismo, mas eu, que notoriamente sempre tive dificuldade de "repousar", nunca dei a menor bola para isso.

Meu sono é sempre curto. Gosto de dormir pouco – e, estranhamente, me orgulho disso. Uma noite bem dormida para mim é de seis horas. Em casos muito raros, chego a dormir oito horas, mas considero isso um exagero. Gosto de estar em atividade, e sempre acreditei que aquelas seis horas fossem suficientes para repor as energias de que eu precisava. Como descobri nessa semana, eu estava ligeiramente enganado.

Sempre me forcei a ter um pique intenso. "Sou um touro" – é a frase que mais gosto de dizer quando me pedem para esticar um horário de gravação, por exemplo. Viagens, longas horas de espera, atrasos – eu aguento tudo. Difícil mesmo é relaxar. Por isso, quando, a essa altura do nosso projeto, o Atalla me propôs "puxar o freio de mão" para ver como o meu corpo responderia, minha primeira reação foi me inscrever numa aula de ioga – para horror do Atalla.

Entre tantas atividades físicas que já pratiquei, a ioga é uma que descobri recentemente. Seis anos atrás, achando que estava muito parado, resolvi chamar uma professora particular, que vinha em casa – e me colocava nas posições mais improváveis! Virgínia (era o seu nome) era divertida e tornava tudo mais agradável – até mesmo os momentos de respiração, que, para alguém com dificuldade de concentração como eu, era uma verdadeira tortura. Nessas aulas, ampliei uma característica minha – um ótimo alongamento – e descobri uma boa maneira de fazer a energia circular pelo corpo. Foi com essas lembranças que comecei uma aula de ioga bem no meio do *Medida Certa*. Mas tive de fazer isso escondido do Atalla.

Nos bastidores das gravações para a vinheta de abertura, brincadeiras com posições de ioga.

Para ele, a ioga não pode ser encarada como um exercício aeróbico. Quando contei ao nosso instrutor que queria fazer a tal aula, ele foi categórico: ioga não queima gordura. Chegou a falar isso para as câmeras – e causou até certa polêmica entre os mais devotos da ioga. Eu nem quis entrar na discussão. Me diverti relembrando algumas posturas que achei que nem seria mais capaz de fazer. E quando a professora sugeriu que plantássemos uma bananeira, meu medo inicial (será que eu conseguiria?) logo foi substituído pela satisfação de estar apoiando todo o peso do corpo nos antebraços e no cocuruto.

Se não serviu para nada – pelo menos segundo o critério do Atalla (que acabou gerando uma boa discussão entre os defensores da ioga como uma atividade para queimar calorias) –, foi bom para eu me divertir e relaxar um pouco.

> *São muitos prazeres em* Buenos Aires. *Problema: um deles era justamente a* carne vermelha, *que eu precisava cortar..."*

DESPEDIDA ARGENTINA Afinal, outra semana cheia me esperava. Decidi começá-la em Buenos Aires. Fui para descansar – é tão pertinho – e para me despedir, ainda que temporariamente, de uma coisa que adoro, mas que não estava colaborando com o nosso projeto de reprogramação corporal: a carne vermelha. Pode parecer loucura pegar um avião e ir a outro país só para descansar um pouco, mas duas horas e meia de voo para mim, sinceramente, não são nada. Além do mais, os prazeres que Buenos Aires sempre oferece superam qualquer obstáculo. O problema é que um desses prazeres era justamente... um bom churrasco.

Buenos Aires é hoje uma das minhas cidades favoritas no mundo – um lugar cosmopolita, que tem a vibração que gosto de encontrar quando viajo. Tem uma animada vida cultural e um ritmo de cidade grande – há sempre alguma coisa acontecendo, gente para conhecer, um lugar novo para descobrir. Sobretudo na gastronomia, a capital argentina reserva boas surpresas cada vez que a visito (costumo incluir um restaurante de lá numa lista que faço para amigos dos dez melhores restaurantes que conheci no mundo).

Mas, entre tantas tentações – e não vamos nem começar a falar do vinho argentino –, o que mais me fascina é o sabor da carne argentina. Tenho minhas preferências no que diz respeito às *parrillas* – como eles chamam o churrasco. A melhor carne que já experimentei entre os portenhos é de um daqueles restaurantes que ficam em Puerto Madero – um bairro que estava abandonado até os anos 1990 e foi revitalizado para se transformar num polo turístico e cultural.

E foi justamente lá, no El Mirador, que quis experi-

Comendo um *choripán* em Buenos Aires, na despedida da carne...

mentar a última carne vermelha. (São só trinta dias, eu sei – e parece que estou exagerando, mas quem gosta de uma carninha sabe bem que não estou fazendo drama. Vai fazer falta!) Basta dar uma olhada no cardápio, com todas aquelas seleções de cortes diferentes dos que existem no Brasil, para você salivar assim que se senta à mesa. Mas nem pensei muito: fui direto ao prato que peço sempre: uma *colita de lomo*. Não me pergunte que parte do boi é essa exatamente. Sei apenas que é grande – toda vez que vem o prato, parece que estão servindo um antebraço humano! E deliciosa – completamente macia e saborosa. E naquele dia, com gostinho de "adeus", estava especial.

UM APERITIVO NA RUA

Passeio de bicicleta com um instrutor da Reserva Ecológica de Buenos Aires.

Um pouco antes desse almoço, para provar que, mesmo viajando, não dei um tempo na atividade física, eu havia saído para um passeio de bicicleta naquela que é uma das maiores reservas ecológicas (dentro de uma área urbana) do mundo. O dia estava lindo – já fazia um pouco de frio em Buenos Aires, e o céu, de um azul quase pecaminoso, me acompanhou todo o tempo até as margens do rio da Prata. Na volta desse percurso estonteante, bateu uma fome rápida. Mesmo sabendo que degustaria uma carne no almoço, parei em uma das barracas populares que ficam na borda da reserva e comi um *choripán*. Trata-se de um "pão com linguiça" – nada além disso –, preparado numa chapa suja, bem engordurada, mas que deixa o sanduíche com um sabor especial. Só aquilo para mim já teria servido como uma boa despedida. Mas, um pouco mais tarde, lá estava eu sentado na varanda do restaurante, aproveitando cada pedaço daquela colita. Hummmm, era bom demais! Eu já previa que meus próximos trinta dias seriam absolutamente torturantes.

De volta ao Brasil, estava programado que eu dormiria naquela noite mesmo no Instituto do Sono, em São Paulo, para ver a relação entre sono e dieta. Antes, porém, eu tinha assumido o compromisso de participar de um evento de internet. Fui quase sem descansar da viagem – e, como talvez estivesse com a resistência um pouco baixa, comecei a me sentir ligeiramente febril. Era uma feira movimentada – e, naquela confusão, nem me lembro direito como fui parar no posto de atendimento médico. Quando percebi, já havia uma mulher muito simpática, com um uniforme que mais parecia de bombeiro do que de enfermeira, me oferecendo um termômetro para medir a minha temperatura.

Eu estava mesmo cansado, e com a visão um pouco distorcida (mais ou menos como a gente vê no cinema). Só dei uma acordada quando a mesma moça me ofereceu um copinho com dipirona. Não gosto de tomar remédio – aliás, resisto até a última hora. Por isso, quando alguém me aparece com algum medicamento, mesmo que seja algo quase inofensivo, a minha primeira reação é resistir.

Como iria passar por uma bateria de exames durante o sono, será que era recomendável tomar aquele remédio? Mas a febre estava já nos 38,7 graus – e um fim de semana de muito trabalho me esperava. Decidi consultar o Instituto do Sono para saber se era melhor eu ir para lá com febre, mas "limpo", ou sem febre, porém medicado. A segunda opção ganhou – e, se eu já estava com sono, logo depois da dipirona eu andava me arrastando.

MASSA ACOMPANHADA DE BOCEJOS

Passei em casa rapidamente para pegar um pijama e um travesseiro (não que eu tenha um travesseiro de estimação, mas sempre gosto de dormir com a cabeça mais alta, e por isso ando sempre com um mais cheinho para me garantir), e ainda fui comer alguma coisa. Só que o sono no restaurante era arrebatador.

Era a minha primeira refeição inteira sem carne, e escolhi uma massa com legumes e atum. Mal e mal conseguia

GUIA DA TENTAÇÃO

RESTAURANTES DE BUENOS AIRES

- EL MIRADOR
- ARAMBURU
- EL MERCADO
- LAS PIZARRAS
- FREUD & FAHLER
- DESIGUAL
- VINERÍA DE GUALTERIO BOLIVAR
- CASA CRUZ

comer, de tantos bocejos que eu dava. Como estávamos gravando o tempo todo, cheguei a brincar com a ideia de colocar um daqueles bocejos na reportagem, lembrando que, da última vez que havia feito isso no *Fant*, causara a maior confusão (falha técnica e uma boa dose de cansaço colaboraram para essa minha gafe – que o público carinhosamente entendeu). Foi de olhos praticamente fechados que entrei no Instituto do Sono, para o que seriam os exames mais fáceis da minha vida: justamente aqueles que eu faria dormindo.

A preparação me pareceu extremamente lenta. Entre um longo questionário que tive de responder e a instalação de vários eletrodos pelo corpo – incluindo vários na cabeça –, eu tinha a impressão de que já estava lá haveria horas... e nada de dormir ainda. Mas, quando a assistente finalmente apagou as luzes do quarto e me desejou boa-noite, não levei nem dois minutos para apagar de vez. Aqueles fios todos cruzando o meu corpo? Nem liguei! Não tinha ideia se eu me mexeria muito ao longo da noite, mas meu corpo já estava tão sem energia que eu simplesmente me entreguei. E, pelo que vi depois no vídeo, praticamente não saí da mesma posição.

SONO CURTO, MAS BOM

Acordei às 6h55, bem cansado. Ironicamente, a sensação era pior do que a da noite anterior, quando fui dormir. Será que haviam sido aqueles eletrodos? Será que eu não tinha tido uma boa noite de sono? Não, segundo a dra. Dalva Poyares. Foi com ela que tomei o café da manhã. De posse das informações sobre o comportamento do meu sono, ela me deu a primeira boa notícia. Eu havia dormido pouco, sim, mas havia sido um sono proveitoso. Eu tinha uma boa alternância entre sono profundo e sono leve – e, com isso, reparava ao mesmo tempo a mente e o corpo (pelo menos foi isso que entendi).

Mas estava longe de ganhar um dez. Para recuperar a energia física, me explicou a dra. Dalva, eu precisava de um descanso maior, especialmente porque estava num

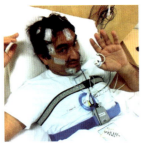
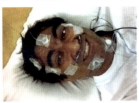

Todo plugado para o teste da qualidade do sono.

processo de reprogramação corporal: se você não descansar direito, pode prejudicar o emagrecimento eficiente. Num sono ruim, as chances de acumular gordura são maiores – e pode surgir uma tendência a engordar mais, sobretudo na região da barriga.

Se não havia acordado direito até então, agora já estava mais do que desperto. Perguntei se os cochilos no meio da tarde – algo que alguém, sempre sem tempo como eu, costuma usar para complementar o sono – são uma coisa positiva, e ela me disse que sim. Mas fez questão de frisar que nada substitui uma boa noite de sono. Nada! Ela não precisava ser mais clara: eu havia entendido a mensagem, tanto que, saindo de lá para ir ao Rio de Janeiro, fiz questão de carregar meu travesseiro. Se pegasse muito trânsito no caminho até o aeroporto...

COMO UM PEIXINHO Quando cheguei, Renata já me esperava no Flamengo para uma aulinha de natação – e eu já tinha um presente para ela. De Buenos Aires, trouxe uma coisa à qual ela teria muita dificuldade de resistir: um pote de *dulce de leche*, o tradicional doce de leite argentino, que é simplesmente um manjar dos deuses. A reação dela foi exatamente a que eu esperava: ela ficou bravíssima com o "presente". Mas bravíssima de um jeito carinhoso.

Do Instituto do Sono para a piscina do Flamengo, sem largar o travesseiro.

Como efeito colateral do *Medida Certa*, Renata e eu acabamos afinando mais ainda a intimidade que já tínhamos. Somos colegas há anos – mesmo antes de trabalharmos juntos no *Fantástico*. Mas esse projeto nos deixou ainda mais próximos, e com mais liberdade de brincar um com o outro. E foi por isso que, apesar de eu tê-la presenteado com uma das tentações mais terríveis de todas, já estávamos às gargalhadas quando caímos na piscina.

A ideia do Atalla, durante todo o projeto, era variar o tipo de atividade física, e a natação era algo que ainda não havíamos experimentado – pelo menos, não no *Medida Certa*. Sempre gostei de nadar, como já contei, mas, mesmo depois que entrei numa academia, dois anos

atrás, nadar era uma atividade esporádica. A última vez, se não me engano, havia sido há mais de dez meses. Porém – e quem já nadou sabe disso –, foi só cair na água e perceber que tudo o que eu sabia sobre natação estava lá registrado no cérebro. Mandei bem no estilo crawl, mais ainda no nado de peito e de costas. Mas a surpresa maior foi quando o Atalla me pediu para tentar o estilo borboleta. Não sei bem de onde veio a inspiração, mas baixou um Michael Phelps (o americano recordista olímpico de medalhas na piscina) – e desembestei naquela piscina.

Foi um sucesso! Até as crianças que estavam treinando ali ao lado se divertiram – e chamaram a gente para um desafio (eles ganharam, mas não, como descobri em seguida, sem a ajuda de um pé de pato).

Achei que ia ganhar mais elogios naquela nossa "conversa de final de semana", mas o Atalla não deu mole. Disse que eu estava indo bem em tudo, mas, pelo que ele tinha observado, não sou o tipo de aluno que deveria se contentar em "passar de ano com média seis". Eu teria de passar com dez. A provocação fez efeito. Eu não queria contar para ninguém, mas estava em ponto de bala para enfrentar o que viesse nas semanas seguintes.

Fim da semana 8 Zeca

Semana 8
Renata

Eu era o foco no CASAMENTO

Fui madrinha, e todos os olhos estavam voltados para o que, e quanto, eu comeria. Fiquei até envergonhada, mas relevei e fui me divertir na pista de dança

A essa altura já tínhamos passado da metade dos noventa dias. Tínhamos somente mais quatro semanas pela frente, e a sensação era a de que faltaria tempo para chegar aonde eu queria. Em um mês eu não conseguiria emagrecer tudo o que planejava. Tive de "reprogramar a minha cabeça" em relação a isso.

Na frente do espelho, agora, sim, eu percebia a diferença. Eu voltara a me reconhecer em meu corpo. Ainda estava cheinha, claro, mas um "cheinha" mais aceitável, dentro de um padrão em que já havia passado muito tempo, e ao qual eu achava que jamais conseguiria voltar.

Naquela oitava semana, senti que meu corpo já estava "dominado", que eu voltara a ter controle sobre ele. Ele não resistia mais como antes. A atividade física estava mais fácil de fazer, e, por isso, o Marcio me exigia mais nos exercícios. Em nenhum momento ele deixou meu corpo se acomodar em uma zona de conforto. E isso acelerava a queima de gordura.

Mas o Marcio estava mais tenso. Acho que a contagem regressiva também começava a pesar para ele. Existia uma pressão por resultados, e acho que ele se sentia muito cobrado naquele momento – pela direção do programa e pelo público. Afinal, quanto nós perderíamos? Estava adiantando? Era essa a expectativa? Porque o raciocínio das pessoas era: "Se em dois meses eles estão assim, em um mês não vão dobrar a perda de peso ou perder muito mais que isso".

Eu imaginava que o pensamento do público, e até dos meus colegas no trabalho, era: "O tanto que a Renata e o Zeca tinham de perder, já perderam". Errado. Não é assim que funciona. É falsa a idéia de que normalmente, quando estamos de dieta, emagrecemos rápido no início e vamos diminuindo o ritmo de perda com o passar do tempo. As transformações vão obedecendo a uma velocidade que varia de pessoa para pessoa. Mas vão acontecendo, e, depois de dois meses, meu corpo respondia incrivelmente mais rápido. Como se eu estivesse com um metabolismo de trinta anos.

PARCEIRAS EM FORTALEZA
A repercussão do *Medida Certa* na oitava semana já havia ultrapassado as nossas expectativas. Era muito maior do que imaginávamos que seria. E aumentava a cada semana.

Os e-mails, tweets e comentários em nosso blog traziam muitos depoimentos de pessoas de norte a sul do país que estavam "aderindo" ao programa, adotando os mesmos hábitos alimentares e introduzindo o exercício físico em sua rotina de vida.

A produção da TV Globo de Fortaleza ligou para a Marcela Amódio, produtora de nosso quadro, e contou que um grupo de funcionárias de uma empresa estava fazendo o *Medida Certa* conosco, inclusive se pesando, praticando exercícios etc. No Rio de Janeiro, os funcionários de um hotel também estavam fazendo algo parecido. Tinham até criado um

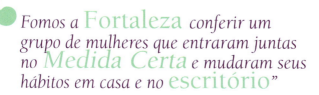

"Fomos a Fortaleza conferir um grupo de mulheres que entraram juntas no Medida Certa e mudaram seus hábitos em casa e no escritório"

grupo de corrida na praia por causa do *Medida Certa*. Não podíamos deixar de mostrar isso!

Eu, Marcela e Marcio Atalla seguimos para Fortaleza para conhecer esse grupo de garotas que havia criado no escritório o "Bolão *Medida Certa*". O Marcio ficou no hotel, já que queríamos fazer uma surpresa para elas. Só eu fui até o escritório.

Eram oito mulheres, que estavam eufóricas, nos aguardando para contar as suas histórias. Todas tinham um padrão de corpo parecido com o meu: umas mais cheinhas, outras menos, mas nenhuma era magrinha. Haviam começado exatamente um dia depois que o primeiro programa foi ao ar, mais exatamente no dia 4 de abril de 2011, e do mesmo jeito: subindo na balança.

E sofisticaram ainda mais a ideia. Fizeram um contrato, com regras por escrito. O programa teria noventa dias, como o nosso, mas, no final de cada mês, elas fariam uma nova pesagem. E quem perdesse mais quilos em trinta dias ganharia, em dinheiro, dez vezes a quantidade de quilos perdida pelas demais participantes.

Durante a nossa conversa, elas contaram que tiveram de mudar os hábitos em casa e principalmente no escritório, onde a tarde todas tinham disponível, nas mesas e nas gavetas, todo tipo de guloseimas inimigas da dieta. O pior era escapar do Danilo, um colega de trabalho que queria de qualquer maneira "melar" o bolão das meninas. Todos os dias, ele trazia, no mínimo, um bombom para cada uma delas.

Por pura força de vontade, ou animadas pelo prêmio em dinheiro do bolão, todas adotaram uma das dicas que dávamos no *Medida Certa*: pararam de beliscar entre as refeições, algumas começaram a pular corda, outras a pedalar, cortaram doces, açúcar e gordura, e passaram a tomar mais água.

Chegamos a Fortaleza justamente no dia da pesagem! Quem perdeu menos acusou uma perda de três quilos na balança, e quem levou o bolão perdeu cinco! E levou o prêmio no valor de 350 reais.

No final da pesagem, convidei todas elas a ir à praia comigo. Elas não sabiam, mas o Atalla estava lá, esperando por elas para responder a todas as dúvidas. E a pergunta que elas queriam fazer era: "Quanto tempo leva para uma pessoa começar a perder gordura?". "Fazendo atividade física e se alimentando saudavelmente, em duas semanas você já sente alguma diferença", disse o Marcio. O encontro, claro, acabou em uma corrida na areia. Foi muito divertido.

DOCE DE LEITE, MAS SÓ UMA COLHER

Chegamos de volta ao Rio: eu de Fortaleza, e o Zeca de Buenos Aires. O encontro seria na piscina do Flamengo. Sabe o que ele me trouxe de presente? Um pote de doce de leite. Eu disse que não iria comer aquilo. Mas ele insistiu que uma colher eu poderia. Achei que o Marcio fosse me apoiar, mas não. Ele disse: "Vamos comer uma colher depois do treino, sim! Claro que pode. Lembra da regra, Renata? Tudo pode, mas na Medida Certa, e desde que não seja a regra, e sim a exceção".

E completou: "Você não vai comer doce de leite três vezes por semana, porque aí passa a ser uma regra em sua vida. Mas, tendo uma rotina saudável, seu corpo vai entender que aquele doce não é o padrão e por isso vai queimar, não vai estocar".

Zeca me dá um "presente de grego" de Buenos Aires: "dulce de leche"! Fala sério, amigo...

Eu entendia, achava bacana a mensagem, mas começava a sentir os resultados em meu corpo e não queria comer um doce porque simplesmente isso não estava me fazendo falta. E se eu comesse e desencadeasse aquela vontade irresistível que eu sentia às vezes e agora estava dominada? Eu sentia o Zeca um pouco irritado comigo nessa fase em que eu estava tão radical. Mas era desse jeito que eu estava conseguindo emagrecer. Só eu sabia quanto aquelas transformações que aconteciam em meu corpo eram desejadas e difíceis de conseguir. Não tenho o prazer de comer que o Zeca tem. Gosto de uma comidinha mais natural, do tipo arroz integral com soja. Realmente aprendi a gostar! E isso não vem de hoje na minha vida.

O DIA EM QUE FUI MADRINHA

No final de semana, eu seria madrinha de casamento de um casal muito especial: Bruno Lyra, considerado um filho para o meu marido, e Fernanda Colagrossi, também acolhida como filha. Era uma data especial para mim e para o Gustavo.

Eu queria estar lá com preocupação zero em relação ao trabalho ou a qualquer coisa que me ligasse à vida profissional. Era um casamento de gente jovem, bonita, e eu, em um momento de superexposição pública, estaria no palco, ops... no altar. Àquela altura do *Medida Certa*, a primeira coisa que as pessoas faziam assim que me viam era medir com o olhar a minha silhueta e fazer algum comentário, comigo ou com quem estivesse ao lado. Haja autoestima para aguentar tantos olhares julgadores.

Nessa situação, eu corria o risco de não me sentir em um altar, e sim em um verdadeiro palco, com muitos olhos voltados para o meu corpo. Pensar nisso era quase estragar a festa. Será que eu estava exagerando em minha avaliação? Não sei, mas o fato é que, naquele momento do programa, a toda hora alguém vinha me perguntar quanto eu havia emagrecido, dizer que estava seguindo o nosso programa, pedir dicas etc.

Mas o que me apavorava era que seria a primeira vez em dois meses que eu sairia para comprar uma roupa com o meu corpo novo, com, no mínimo, três quilos a menos na balança.

NADA DE ALÇAS, NEM DE BRILHO
Uma insegurança leva a outra. Eu não estava confiante em minha capacidade de escolher a melhor roupa para o meu corpo naquele momento. Não era uma questão de vestir algo que simplesmente me fizesse me sentir bem. Era me vestir pensando no que as outras pessoas achariam. Horrível!

Se eu usasse um vestido mais solto, elas pensariam que eu estava disfarçando; se o braço ficasse exposto, poderiam me achar flácida; se a cor não me privilegiasse, talvez me fizesse parecer maior do que eu realmente estava. Ou seja, melhor seria não usar nenhum vestido de alcinhas, nem de tecido muito brilhante, de preferência numa cor mais escura, mas também não poderia ser preto... ai meu Deus, que saco!

Eu tentando me divertir como uma pessoa que não estava de dieta num casamento.

Mandei fazer um vestido sob medida, para não correr o risco de alguma dobrinha a mais ficar exposta sem que eu percebesse. Sob medida, no mínimo, eu teria a opinião da costureira, que estaria zelando por mim. Será? Fiz um vestido que achei adequado e ficou bonito, e fui para o casamento com muita vontade de me divertir.

DICA PARA UMA FESTA
- Não chegue na festa com fome
- Beba devagar, alternando com água para não consumir muito álcool
- Não belisque salgadinhos, espere para se servir bem no jantar
- Se a vontade de comer doces for incontrolável, leve uma barrinha de cereais na bolsa
- Dance, mas dance MUITO!

Sabe quem foi comigo na bagagem? Minha bicicleta! Era a garantia de consciência tranquila, já que me daria a certeza de que eu não passaria aquele fim de semana sem me exercitar.

Fui pronta para uma trilha de terra no domingo, que me daria muito prazer e gastaria umas boas calorias. Seria um estímulo físico bem forte para o meu corpo, quase um susto mesmo, porque pedalar no barro não é qualquer corpinho que aguenta! E, naquele domingo, pedalei cerca de quarenta quilômetros!

PASSEI FOME POR CONTA DA PATRULHA

Mas vamos voltar ao casamento do sábado à noite. Eu estava regradíssima; afinal, era o último mês do desafio. Antes de ir para a igreja, comi minha barra de proteína, já pensando em não passar pela situação de estar com fome sem nada que pudesse comer por perto. Calculei que dali a três ou quatro horas eu estaria na festa e jantaria com todo o meu direito de convidada.

Totalmente constrangida com a vigilância dos convidados, passei fome em plena festa de casamento.

Antes de o jantar ser servido, recusei os salgadinhos e o champanhe. Os garçons retribuíam aquela infinidade de "nãos" com um sorrisinho de cumplicidade. Eles se divertiam, e minha atitude era observada pelas pessoas à mesa, que não poupavam comentários: "Isso não pode? Nem um?". Eu respondia que não sorrindo, mas confesso que algumas vezes sem vontade alguma de ser simpática. Será que as pessoas não podiam se desligar nem durante uma festa daquelas? E algumas completavam: "Você não deve aguentar mais ouvir falar disso, não é?". E novamente eu respondia sorrindo...

Sob olhares atentos, lá fui eu para a mesa do bufê. Eu poderia jantar normalmente, comer um pedaço do frango, tirando um pouco do molho, arroz, salada e, se quisesse, poderia ainda trocar aquilo tudo por um prato de massa. Mas foi só eu pegar o prato para me servir que a fila aumentou incrivelmente atrás de mim e comecei a ouvir risadas. As pessoas pararam de se servir para ver o que eu colocaria no prato.

"Estamos de olho, hein!!! Queremos ver o que você vai comer!!", avisavam.

O que você, leitor, faria em meu lugar? Peguei algumas folhas de alface (poderia ser um prato cheio), um micropedaço de frango (que poderia ser o dobro) e nem me servi de arroz, que era obrigatório sob a ótica nutritiva. Fiz aquele prato mentiroso que as pessoas normalmente fazem quando estão em público e depois comem feito trogloditas, atacando a geladeira no meio da noite. Fiquei constrangida, envergonhada, sem vontade de ficar explicando que arroz, sendo carboidrato, pode e deve ser ingerido à noite, que eu estava havia três horas sem comer e precisava me alimentar para o meu corpo não entender que precisava fazer estoque de gordura etc. etc.

Fiz tudo errado, e a culpa foi do público. Não, é injusto dizer isso. Foi também da minha timidez. Eu não estava a fim de falar sobre o *Medida Certa*. Eu queria me divertir!

Não cheguei perto da sobremesa e fui diretamente para o café. A pessoa que estava ali no serviço se aproximou e colocou um chocolatinho em meu pires. Eu recusei, pensando que era mais difícil resistir àquele "mimo" do que a toda aquela mesa farta de brigadeiros, bem-casados etc. E era mesmo. Acho que uma das coisas de que mais sinto falta é o chocolatinho que acompanha o café. É uma combinação perfeita! Eu costumava até pedir dois, três cafés, só para ganhar um chocolatinho.

Mas recusei e pronto. Foi quando ela me disse: "Tem um convidado que toda hora vem aqui me pedir para tirar uma foto sua comendo um docinho. Ele quer esse flagrante para mandar para o *Fantástico*".

Fiquei passada. O nível de vigilância sobre a minha pessoa estava extrapolando os limites da boa educação! Mas eu havia permitido isso, de certa forma, quando aceitei me expor em um reality show. Sabe o que eu fiz? Deixei meu marido na rodinha de amigos e fui para a pista de dança. E lá fiquei me divertindo, e ainda por cima gastando calorias, até quase a festa acabar. Ufa! Foi difícil, mas consegui me divertir. Detalhe: sem uma gota de álcool. Mas o DJ colaborou muito, e a alegria dos noivos, Fernanda e Bruno, também. Foi contagiante.

Ah! Eu já ia me esquecendo de dizer. O vestido ficou lindo. E depois dele, a minha relação com o guarda-roupa começou a mudar.

PAZES FEITAS

É incrível como, à medida que emagrecia, fiquei, aos poucos, de bem com o meu corpo. Sim, fiz as pazes com ele. Antes de

o projeto começar, como já falei, eu tinha vergonha de mostrá-lo e o escondia debaixo das roupas. Comprar roupas era um exercício de disfarce, e não um prazer de me sentir bem e bonita. Meu guarda-roupa era um reflexo disso: muitas batas, muita roupa preta, muita roupa solta. Não havia nenhuma roupa acinturada. Nenhuma! Nenhum cintinho, porque o que eu menos queria deixar em evidência era a minha cintura inexistente.

Era difícil, por exemplo, escolher uma roupa para malhar em frente às câmeras. Antes do início do projeto, minha amiga e editora do *Fantástico*, Jennifer Skipp, comentou comigo: "Não vá usar aquelas camisetas de gorda, hein?". Essa frase martelou durante um bom tempo em minha cabeça, já que era impossível eu usar outra coisa que não fosse uma camiseta larga que não marcasse os flancos. Além disso, meus braços estavam enormes e precisavam de mangas. Meu quadril tinha gordurinhas que saltavam da roupa e que qualquer peça mais justa marcaria.

Mas agora não. Nesse terceiro mês eu estava vendo resultados. E, quanto mais resultados eu via, mais vontade eu tinha de malhar. Enlouqueci com a minha bicicleta. Pedalar se tornou, de fato, meu exercício principal. Em cima dela eu refletia sobre a vida, testava os limites daquele corpo amigo, via meus músculos dar maior sustentação a minha pele. E meu marido já dizia que eu estava mais bonita.

O autocontrole que o exercício físico me deu, essencialmente o ciclismo, passei a levar para o meu dia a dia. Pedalando, eu aprendi a ter foco para não perder o equilíbrio, ter concentração para driblar as dificuldades da subida, saber a hora de diminuir o ritmo, de ser mais agressiva em cima da bicicleta, entender a hora de parar para recuperar o fôlego e seguir em frente.

A rotina do *Medida Certa* fazia eu retomar as rédeas de meu corpo e da minha vida de maneira diferente. Mais segura, mais amadurecida, mais responsável e, essencialmente, mais feliz.

Fim da semana 8 Renata

Semana 8
Atalla

Dormir e EMAGRECER

Dormir é importante para melhorar o humor e a concentração, além de deixar as pessoas menos estressadas

Um estudo mostra que a falta de sono está ligada ao excesso de peso. Quem dorme menos de sete horas por noite pode estar com excesso de gordura. Isso se explica por fatores ambientais e hormonais.

Ambientais: quem passa mais tempo acordado come mais. Além disso, os alimentos disponíveis tarde da noite, ou durante a madrugada, não são os mais saudáveis – comidas prontas ou pré-preparadas.

Hormonais: quando se dorme pouco, o corpo produz menos leptina, hormônio responsável pela sensação de saciedade, e mais grelina, (hormônio da fome). Quem dorme menos fica com mais fome e tem reduzida a sensação de saciedade.

Durante o sono, o organismo libera GH e cortisol, hormônios que têm ligação com o acúmulo de tecido adiposo.

Dormir é importante para melhorar o humor e a concentração, além

de deixar as pessoas menos estressadas. Isso porque é na fase final do sono que ocorre o reparo psicológico. É normal ver pessoas que dormem menos com mau humor, dificuldade de concentração e estresse.

Uma pesquisa feita por cientistas americanos com cerca de 2 mil crianças entre cinco e doze anos, durante um período de cinco anos, demonstrou que crianças que dormiam entre dez e onze horas por noite sofriam até 36% menos riscos de apresentar sintomas de obesidade. Segundo os pesquisadores, a obesidade poderia ocorrer por causa de um desequilíbrio nos hormônios que regulam o apetite, provocado pela falta de sono.

Outra explicação possível é que as crianças que dormiam pouco apresentavam menor disposição para a prática de atividades físicas, o que contribui para um gasto menor de calorias e, consequentemente, para o ganho de peso.

Fim da semana 8 Atalla

Semana 9
Zeca

Reaprendi a pilotar o FOGÃO

Eu, que sempre coloquei muito azeite na hora de preparar o arroz, passei a usar um pouco de requeijão

"E aí, Zeca! Vai perder um quilinho hoje?" A brincadeira veio de surpresa, no meio da rua, quando eu chegava ao parque Ibirapuera para fazer uma corrida com o Atalla. Por mais que já estivéssemos acostumados com o assédio, nessa nona semana tínhamos a sensação de que as pessoas já estavam tão íntimas – e estavam mesmo, já que nós as convidamos a fazer parte de nossa intimidade – que a conversa espontânea era inevitável.

Dessa vez foi um cara que estava trabalhando numa obra na entrada do parque. "Domingo tem balança", ele me lembrou – e quando sugeri que ele, com uma circunferência abdominal deveras fora da "medida certa", deveria praticar também algum exercício, a resposta foi imediata: "Olha minha academia aqui, ó!", e riu, mostrando a enxada.

"NA ACADEMIA, tudo em cima. Falta dar um jeito na cozinha"

Esse episódio mostra bem a popularidade que havíamos atingido com o quadro, mas também nos ajuda a dar outra informação: ele tinha um trabalho que naturalmente exigia um esforço físico – como muita gente, aliás, mas não como a maioria. Atalla sempre lembra que, não muito tempo atrás, as pessoas tinham uma vida mais saudável ou, pelo menos, mais ativa. Mesmo nas tarefas do dia a dia a gente colocava mais esforço – e com isso fazia o corpo trabalhar um pouco melhor. Hoje, especialmente quando se trata da população urbana, isso é exceção. A vida moderna é tão "confortável" que quase sempre esquecemos que a iniciativa de mexer o corpo só depende... de nós!

Precisamos ter consciência disso. Tomei conhecimento de um estudo feito com as camareiras de um hotel. Elas foram divididas em dois grupos: para o primeiro, foi dito que as atividades que elas faziam queimavam calorias; para o segundo, nada foi dito. Depois de certo tempo, adivinha qual grupo perdeu mais peso? O das camareiras que sabiam que estavam trabalhando o corpo! É simples assim. Se incorporarmos essa ideia em nossa vida, tudo que fizermos pode ter um aspecto mais saudável: de uma tarefa cotidiana até... uma noite na balada.

DANÇAR SIM, PEDALAR NÃO

Foi isso que fui experimentar na festa de um amigo. Como algumas pessoas sabem, sou um DJ "bissexto". Sempre gostei de tocar – desde o tempo em que isso significava sair para as festas com dezenas de discos de vinil embaixo do braço. Hoje, claro, dois iPods resolvem esse problema – e isso é tudo de que preciso para animar uma pista de dança. Não sou de grandes acrobacias musicais – aliás, nem de pequenas acrobacias –, mas sei que músicas "funcionam" melhor. Nessa festa que abria a semana, lá estava eu, me sacudindo ao som de *Hey ya!* (Outkast), *Single ladies* (Beyoncé), *Lisztomania* (Phoenix), *Dance a little bit closer* (Charo!) e outras fortes inspirações dançantes. Será que estava queimando algumas calorias? Pode apostar que sim. Como Renata sempre gosta de dizer, quando a gente faz um exercício de que gosta, tudo fica mais fácil e leve. Dançar, para mim, sempre foi uma coisa natural – dançar numa festa em que sou o DJ, então...

Mas e quando o exercício que alguém sugere a você não tem nada a ver com o seu estilo – ou mesmo com as suas aptidões? A bicicleta, de que a Renata gosta tanto, ainda não despertou em mim uma paixão. Assim como o simples ato de pular corda não "fala" com a Renata. Sério! Até a gente entrar no *Medida Certa*, eu achava que pular corda era como

andar de bicicleta: uma coisa natural, que você aprende quando é criança e nunca mais esquece. Pode até ficar um pouco "enferrujado", mas é só reencontrar uma bicicleta ou uma corda que a tal memória corporal entra em ação e você retoma o exercício. Mas Renata estava ali para me mostrar que não é bem assim.

Desde o primeiro dia na academia com o Atalla, ele nos apresentou essa que deveria ser nossa companheira por toda a temporada de reprogramação corporal: *a corda*! Os quilos a mais que eu tinha na época não me ajudaram a gostar de cara da ideia. Pulei menos de trinta segundos e já fiquei exausto. Mas aos poucos, fazendo em casa o "circuito das trevas" que o Atalla me passou, fui aumentando minha resistência e ganhando minutos de corda no meu treino, e com prazer. Descobrimos que, por causa do quadro no *Fantástico*, muita gente resolveu seguir o mesmo conselho – e, por um tempo, houve um boato de que as cordas simplesmente desapareceram das lojas de esporte.

Porém, se a euforia "pula-pula" tomou conta do Brasil, Renata continuava resistindo ao exercício – e um belo dia, treinando numa academia no Rio, descobrimos por quê: *ela não sabia pular corda!* Se a notícia surpreendeu você, imagine a minha reação e a do Atalla, que testemunhamos esse "fracasso". Como sempre desde que começamos essa parceria, levamos a situação com bom humor – Atalla dando uns toques de coordenação, e eu tentando ensiná-la a pular corda, pulando com ela.

Preciso dizer que todos os nossos esforços só pioraram a situação. Mesmo rindo, ela ia ficando cada vez mais nervosa – até que resolvemos passar aos exercícios seguintes, não sem antes arrancar da Renata a promessa de que tentaria pular corda sozinha em casa. (Mais tarde soubemos que ela desenvolveu uma "técnica" para "triunfar" no exercício: passou a pular sem corda, simplesmente dando pequenos saltos num ritmo frequente, eliminando assim aquela "chatice" de ter que lidar com a corda. Funcionou para ela – e se você também tem o mesmo problema, agora não tem mais desculpas!)

ESTEIRA, A DESPREZADA

Naquele cenário que se tornava cada vez mais familiar, Atalla – talvez para me provocar depois do aluguel que demos na Renata por conta da corda – sugeriu que eu fizesse meia horinha de esteira. Minha resposta foi imediata: não! Por quê? Porque tenho horror de esteira! Horror! Como você já sabe, correr, para mim, foi um hábito adquirido – e acho que só cheguei a gostar do exercício porque me apaixonei pelos espaços livres em que me exercitava. Por isso mesmo, a ideia de correr confinado, preso ao ritmo de uma máquina, era absurda.

Como estava sempre dando meus "tiros" na lagoa, consegui – pelo menos dessa vez – driblar a esteira. Mas não o exercício. O Atalla queria ver como estava minha resistência no aeróbico e me mandou para o *transport*. ("Que diferença tem o *transport* da esteira?", você pode perguntar. Respondo que, fora o impacto que não existe sobre as articulações, a diferença é que no *transport* você faz um tipo de exercício que é impossível reproduzir numa corrida ao ar livre. Se eu pudesse fazer o mesmo movimento, com as mesmas vantagens, em volta da lagoa, pode apostar que nunca mais subiria num *transport*...)

Fui feliz nos meus quarenta minutos de movimentação, até porque queria que o Atalla testemunhasse uma coisa que eu já vinha percebendo: mesmo depois de um exercício puxado, eu não ficava mais ofegante como no início de nosso projeto. Tinha a sensação de que meu corpo já havia se programado para dar conta de um novo nível de exigência – e que atingir esse nível não era mais um problema.

Claro que a respiração e os batimentos cardíacos se alteravam durante uma corrida. Porém, depois de trinta ou quarenta minutos de exercício, quando eu parava para descansar, os dois voltavam ao normal com uma rapidez surpreendente. Agora, eu voltava a respirar normalmente em menos de um minuto! Isso só poderia significar uma coisa: que minha resistência havia aumentado (por tabela, eu achava que a minha capacidade pulmonar também havia se ampliado, mas só poderia ter uma confirmação disso mais para a frente, quando fizesse um novo exame médico).

NOVAS REGRAS

O QUE MUDOU NO MEU JEITO DE COZINHAR

- Prefiro sempre grelhar do que fritar
- Economizo no azeite
- Troco sal por outros temperos (páprica e ervas, por exemplo)
- Deixo o peixe meio cru
- Não cozinho com fome

Essa melhora do meu condicionamento chamou a atenção também do Atalla, que, ao ver a minha performance no *transport*, fez aquela cara de professor que sabe que o aluno vai passar de ano. (Não é a primeira vez que uso essa analogia com a escola para falar de nossa relação com o Atalla, mas você pode compreender que ela é inevitável – mesmo com a amizade que surgiu entre nós, a "cobrança" e a expectativa de que eu e Renata correspondêssemos ao seu projeto estavam sempre presentes.) Eu também ficava feliz cada vez que parava de me exercitar e percebia que não estava ofegante. Os músculos e algumas articulações denunciavam que eu havia exigido deles um pouco além da conta, mas imagino que isso aconteça devido à fadiga do corpo. Fora isso, minha recuperação era notável!

O Atalla sempre dizia que sentir dor no final do exercício, ficar com aquela sensação de exaustão, não é saudável. Por mais contraditório que possa parecer, pelo menos para quem está começando a se mexer, o exercício deve dar prazer. E acredite: do alto dessa oitava semana do *Medida Certa*, posso confirmar que ele está certíssimo. (É bom esse Atalla, acho que ele tem futuro...)

EU RENEGUEI UM PASTEL! Se essa parte de condicionamento estava conquistada, driblar meu apetite ainda era um problema. Em qualquer refeição, em qualquer lanchinho, as tentações não paravam de dançar em minha imaginação. Depois desse treino na academia, fomos tomar um suco, bem natural, em uma daquelas casas espalhadas pelo Rio de Janeiro. Devo confessar que, só de olhar para aqueles pastéis, empadinhas, pizzas na vitrine da lanchonete, fiquei mexido. Sabia que depois de uma atividade física o corpo clama por carboidratos. Mas é preciso coragem para resistir às gorduras que vêm junto com essas guloseimas. Num enorme esforço de conscientização, me concentrei no suco – e me dei por satisfeito. Mas a minha relação com a comida continuava delicada. Até porque sempre gostei de cozinhar.

Quem tem o hábito – ou o dom – de preparar alimentos sabe do que estou falando. O prazer de comer é equivalente ao de cozinhar. Ressaltei a diferença entre "hábito" e "dom", porque meu talento na cozinha tem a ver com o primeiro. Não sou um cozinheiro "nato". Mas, à medida que fui me tornando independente e me distanciando do conforto da comida da mamãe (rosbifes e outras delícias), achei que tinha de aprender a preparar minhas refeições.

Sabe quem foi minha grande inspiração? O chef britânico Jamie

Oliver – estrela de vários programas de culinária na TV a cabo. Eu assistia a seus shows e ficava impressionado – parecia tudo tão fácil! Assim, inspirado por ele, comecei a me arriscar na cozinha. Foram anos de "tentativas e erros" – e meus amigos, fiéis cobaias, sabem bem disso. Hoje, posso afirmar, orgulhoso, que preparo jantares deliciosos para esses mesmos amigos – e com baixíssimo índice de reprovação. Mas será que a maneira como preparo alimentos é saudável?

Isso eu só iria descobrir preparando um jantar para Renata, Atalla e uma convidada especial: a nutricionista Mônica Dalmácio, que ainda tem a vantagem de ser chef! Quando esse time chegou a minha casa, eu estava um pouco nervoso. Já tinha preparado uma salada como "comissão de frente": alface, rúcula, palmito e quinoa – assim não dá para errar, né? E o restante? Bem, de entrada, servi pão com porções de mussarela, coalhada e tomate. A Renata logo reclamou que ia se empanturrar de coisas "perigosas" antes mesmo de o jantar começar. Mas Mônica veio com a primeira sabedoria da noite: o que faz diferença na hora de comer é a quantidade! Você chega com fome a um jantar, que não está pronto, mas as entradas estão deliciosas. O segredo é experimentar de tudo, mas só um pouco.

LEGUMES COM PÁPRICA
Enquanto Renata e Atalla ficavam "degustando" os aperitivos, vou com a nutricionista-chef para a cozinha e aprendo mais coisas. Por exemplo, que manteiga é algo que deve ser evitado a qualquer custo. Eu, que sempre uso bastante manteiga para preparar o arroz, recebi mais uma dica da Mônica: "Experimente colocar um pouco de requeijão para deixar o arroz mais gostoso".

A responsabilidade de cozinhar para os amigos e para a nutricionista que também é chef!

O outro prato que eu queria preparar era um wok de verduras – aquele "panelão" muito usado na cozinha oriental, que deixa tudo muito gostoso. Alguns legumes eu queria fritar antes, para que ficassem mais macios – só que "fritar" é verbo proibido para Mônica! Sua sugestão

RECEITA
MINHA RECEITA "JAMIE OLIVER"

Ingredientes

400 g de tomate cereja
3 alhos-porró
300 g de cebola roxa cortada em rodelas
200 g de aspargos verdes fescos
200 g de cogumelo shitake picado
200 g de palmito pupunha cortado em cubos pequenos

400 g de abóbora cortada em cubos médios
2 maços de rúcula
2 kg de camarão médio sem casca
500 g de cuscuz marroquino
azeite de oliva extravirgem
páprica picante (ou cardamomo)

Modo de Fazer

Coloque os cubos de abóbora no forno (150 graus) para assar por 40 minutos – para não ficar muito seco dê uma leve pincelada de azeite de oliva. Corte os tomates pela metade (no sentido mais longo) e deixe descansar numa tigela com azeite balsâmico, (deve cobrir quase todos os tomates). Cozinhe o camarão por 7 minutos até eles ficarem consistentes, mas não duros. Na mesma água do camarão, já aquecida, coloque os aspargos por três minutos – eles devem estar cortados em pedaços de até 5 cm, para render mais. Retire da água e deixe descansar. Numa frigideira larga, bem aquecida, coloque os cogumelos, os palmitos, os aspargos (já cozido), a cebola, o alho-porró e o camarão. Tente evitar o sal, mas pode caprichar na páprica, que vai puxar o sabor dos ingredientes (o cardamomo não é muito fácil de achar, mas se você quiser um perfume extra na comida, ele é perfeito para isso).

Numa outra panela, bem larga e baixa, coloque o cuscuz, e vá aos poucos adicionando água fervendo para amolecê-lo (o ideal é deixá-lo "al dente", e não mole demais). Mexa constantemente para a água preencher todos os espaços e cozinhar todos os grãos. Quando a consistência já estiver boa, acrescente os ingredientes da frigideira – mas mantenha o fogo alto na panela do cuscuz.

Coloque então os cubos de abóbora, os tomates (sem o azeite balsâmico), e por último as folhas de rúcula.

Mexa tudo por mais dois minutos, dê uma regada final com duas ou três colheres de sopa de azeite – e está pronto para servir! Você vai ver como os sabores de todos os ingredientes, mesmo com pouco ou nenhum sal, vão ser destacados. Vai ficar delicioso – e muito saudável.

foi que eu grelhasse legumes como a berinjela e o quiabo direto na frigideira, usando apenas um condimento – páprica, orégano em pó, coisas assim.

Disse ela muito bem: o brasileiro não tem o hábito de temperar a comida; simplesmente joga sal em tudo – o que é errado e péssimo para a saúde (nós sempre comemos muito mais sal do que precisamos por dia). Ficou ótimo – e quando juntei tudo no wok, o resultado foi um prato bem colorido, que também, segundo a nossa nutricionista, é muito bom: cores diferentes significam vitaminas diferentes, antioxidantes diferentes, minerais diferentes.

Para terminar, um atum grelhado. Normalmente, eu teria enchido a grelha de azeite para dar um sabor extra ao atum, mas novamente a Mônica foi contra. O peixe já é bastante saboroso, e se eu o preparasse assim mesmo, sem nada, teria o complemento perfeito para um jantar na "medida certa".

Quando a Renata viu tudo pronto, fez seu prato com cautela – será que ela poderia comer arroz? Os carboidratos, sobretudo à noite, não eram inimigos "mortais" da dieta? Mônica, mais uma vez, veio nos acalmar: segundo ela, independentemente da refeição, um prato sempre deve ter metade de carboidratos. "Então", disse eu, "vamos aproveitar meu jantar sem culpa!" A única coisa que fiquei devendo foi a sobremesa. Disse que não ligava para doces.

Felizes, de estômago cheio, sentamo-nos para mais um balanço. Fechada a oitava semana, passados mais de cinquenta dias de *Medida Certa*, o que será que estava acontecendo de mais importante com o nosso corpo? Tanto eu quanto a Renata chegamos à mesma conclusão: estávamos com uma resistência melhor. "Eu dou mais conta das coisas", disse ela – e era verdade. Faltava muito pouco agora – só um quarto do tempo.

Ao contrário das primeiras semanas, eu não estava nem um pouco a fim de desistir – ou voltar para a relação que eu tinha com o meu corpo antes do projeto. Entrei na etapa final sabendo muito mais sobre a minha necessidade de me mexer e me alimentar. E na certeza de que estávamos levando um monte de gente conosco. Aquele trabalhador na porta do parque Ibirapuera que o diga.

Fim da semana 9 Zeca

Semana 9
Renata

Marcação CERRADA

Precisei viajar a Manaus a trabalho e, na bagagem, levei de "presente" do Atalla a corda. Como a insistência para eu pular era grande... pulei. Virtualmente!

Terminei a oitava semana muito feliz, mas entrei na nona com certo incômodo. O humor e a satisfação oscilavam o tempo todo. Acho que a vida é assim, mas, quando prestamos mais atenção a nós mesmos, isso fica mais evidente.

O atraso entre o que acontecia na vida real e o que o público assistia no reality passou a me incomodar. Já estava evidente aos olhos de quem me via pessoalmente que minhas medidas haviam diminuído, mas ainda era a Renata de duas semanas antes que aparecia no ar. Que nervoso isso me dava!

"Você está muito mais magra pessoalmente do que na televisão. A TV te engorda, hein!", eram os comentários que eu ouvia na rua. Claro que eu adorava escutar essas observações, mas queria mesmo é que elas estivessem visíveis na TV!

E foi curioso o efeito "emocional" do atraso entre o que gravávamos e o que o *Fantástico* mostrava. Ver na TV um corpo mais gordo do que realmente estava teve um efeito psicológico multiplicador em minha vontade de emagrecer e, consequentemente, em minha vontade de treinar.

E aí eu exagerei.

RETA FINAL: FUI À EXAUSTÃO

No último mês do *Medida Certa*, o Atalla intensificou os exercícios físicos. Ele sentiu que já tínhamos condicionamento para isso. O condicionamento do Zeca impressionava. Ele já era capaz de fazer 45 minutos de um exercício aeróbico forte sem sair ofegante. Cansado, claro, mas longe de estar exausto. Eu também. Sentia meu corpo gostando do exercício. Sentindo falta dele!

Foi com essa vontade toda que saí de casa às dez da manhã de um sábado, com mais quatro ciclistas, entre eles meu marido, para uma pedalada de seis, sete quilômetros até a Mesa do Imperador, outro mirante do Parque Nacional da Tijuca. Lá chegando, depois que paramos para descansar, a adrenalina continuava alta, e resolvemos dar uma "esticada" até o Alto da Boa Vista, ou seja, mais seis quilômetros à frente, um trecho de ladeiras e descidas.

A história foi se repetindo, fui testando meus limites e acabei passando mais de seis horas pedalando. Foram mais de cinquenta quilômetros! Lá pelos quarenta quilômetros, meu corpo sentiu, minha glicose baixou, e eu quase desmaiei. Sensação horrível. Fiquei mal, a pressão baixou, e só depois de me darem mel, sal, isotônico, água e barra de proteína consegui recuperar as forças para chegar pedalando em casa.

No dia seguinte estava péssima. Muito cansada. Precisei avisar o Atalla de que não tinha forças para malhar naquele dia e contei, com certo orgulho, minha façanha do dia anterior. Afinal, passando mal ou não, eu tinha dado conta de pedalar cinquenta quilômetros!

Ao invés de se orgulhar de mim, o Atalla ficou uma fera, muito bravo mesmo, só faltou rosnar. Foi a única vez que vi o Atalla realmente perto de perder a paciência comigo. "O *Medida Certa* é contra exageros", dizia ele. "Isso não faz parte do programa! Está errado! Você exagerou!"

Atalla explicou que a ideia de que entrar em exaustão traz benefícios é completamente errada. Ao contrário, o cansaço extremo aumenta muito os riscos de uma lesão. Já pensou se eu me machucasse agora, na reta final? Ele foi claro e objetivo: "Sou o preparador físico da série, e o que eu digo precisa ser cumprido". Ele estava certo. Afinal, se eu me machucasse, o público acharia que ele estava nos sobrecarregando com exercícios, e era justamente o contrário. Em nenhum momento eu ou o Zeca nos machucamos durante o *Medida Certa*. Acho isso realmente incrível, já que treinávamos todos os dias.

EU MUDEI, E O MEU PALADAR TAMBÉM

Eu já havia experimentado vários tipos de atividade física nesse desafio: caminhada, corrida, natação, ciclismo, vôlei na praia, mas o Atalla ainda queria mais. Precisávamos dar opção para as pessoas que só teriam tempo de se exercitar em casa, durante meia hora no máximo. (Afinal, esse tempo todo mundo arruma se quiser, não é?) Foi por isso que ele levou para a academia uma corda.

Eu não gostei. Já tinha avisado o Atalla, logo que o desafio começou, que não sabia pular corda, não tinha coordenação motora para isso. Ele, então, deu a corda para o Zeca. Mas agora queria que o Zeca me ensinasse a pular corda. Isso já era querer um showzinho para televisão, né? E foi o que acabou acontecendo.

Paguei mico, porque não consegui pular. O Zeca se divertiu e se exibiu para cima de mim. E os dois ainda armaram uma surpresinha, que você vai saber qual daqui a pouco.

Depois que não consegui dar mais que três pulos sem tropeçar, fizemos nosso treino na esteira e no *transport* e, no final, nós três atravessamos a rua e fomos até uma casa de sucos, para aquela dose necessária de carboidrato pós-treino. No balcão de vidro, o Zeca ficou "namorando" com os olhos a pizza, o salgado de queijo, o pastel, que brilhavam de tanta gordura. Ele chegou a dizer: "Se pudesse, eu comeria tudo isso aqui".

Aprendendo (finalmente) a pular corda, com uma artista do Cirque du Soleil.

E eu me peguei pensando: "Pois não comeria nada disso, nem se pudesse". Eu não tinha mais a menor vontade de sentir aquele sabor de gordura. Minha alimentação estava tão saudável que meu paladar também havia mudado.

Se eu fosse comer naquele momento, meu organismo ficaria imensamente mais feliz com um pãozinho integral na chapa com queijo branco derretido do que com um pastel com gosto de óleo. E era incrível que, apesar de ter um paladar requintado, o Zeca ainda tivesse hábitos alimentares terríveis, a ponto de sentir vontade daquelas besteiras todas. Ou será que eu estava passando por uma lavagem cerebral e não estava percebendo? Que seja! Antes assim...

JANTAR LIGHT No dia seguinte, eu e o Atalla fomos jantar na casa do Zeca em São Paulo. Ele próprio seria o cozinheiro, e sei que o Zeca manda bem como chef, mas não dava para deixá-lo solto, sob pena de termos um jantar totalmente "na medida errada". Foram bem engraçados os bastidores da preparação desse jantar, porque todos pareciam ter "medo" de dizer ao Zeca que estavam com "medo" do teor calórico daquela refeição. Mas não havia perigo, porque a ideia era o Zeca fazer uma receita que ele estava acostumado a cozinhar, porém com a ajuda da nutricionista Mônica Dalmácio, que daria dicas para tornar aquele prato mais light e saudável.

Aprendi coisas interessantes naquele jantar:
- que o óleo não é necessário para fazer arroz. O ideal, principalmente para quem tem problema de colesterol, é trocar o óleo por requeijão. Fica uma delícia!
- que um prato colorido é mais saudável, porque cada cor é característica de um nutriente diferente.
- que carboidrato à noite engorda. Mentira. Mito! Em toda refeição, metade do prato deve ser de carboidrato.
- que grelhado é diferente de fritura, porque usa só a gordura do próprio alimento, que se solta com o calor do fogo.

O jantar foi ma-ra-vi-lho-so. Zequinha manda muito bem e cozinha com tanto gosto que deixa tudo ainda mais gostoso. Mas quando o jantar acabou, ele e o Atalla fizeram aquela surpresinha a que já me referi.

Eu já estava pronta para sair, com pressa, porque no dia seguinte, cedinho, embarcaria para Manaus para uma entrevista difícil, quando ganhei um presentinho do Zeca: uma corda!

FICA A DICA
- Respeite seus limites na atividade física.
- Treino com exaustão aumenta a chance de lesão.
- Incorpore o movimento em sua vida.
- Não exagere na quantidade de comida.

Era uma armadilha do Atalla para mim. Quando ele perdia o controle sobre a gente, ou seja, quando ficávamos longe dos olhos dele por conta de nossas viagens, ele sempre dava um jeitinho de ser lembrado. Ele sabia que eu não tinha coordenação motora para pular corda. Sabia que seria difícil eu arrumar tempo para fazer atividade física naquele final de semana. A viagem seria longa: quatro horas de voo até Manaus. Sem contar o tempo de espera no aeroporto, o deslocamento etc.

E eu estaria com o entrevistado o tempo todo, desde o avião até o final da noite, quando ele retornaria aos palcos depois de um acidente de helicóptero. Era uma entrevista com o cantor Marrone, da dupla sertaneja Bruno e Marrone. Marrone era acusado de estar pilotando, apesar de não ter brevê, o helicóptero na hora do acidente que deixou seu primo e secretário particular entre a vida e a morte no hospital e fez o piloto perder o pé e ter a perna amputada alguns centímetros abaixo do joelho esquerdo. O cantor sofreu somente escoriações.

SEM TRÉGUA O clima era tenso, porque o assunto e as acusações estavam em todos os jornais. Nessa tensão de trabalho, avião, um assunto cheio de denúncias e, ainda por cima, que envolvia uma celebridade da música, meu celular não parava de receber mensagens do Atalla: "Já treinou? Não deixe de fazer alguma atividade. É importante dar um estímulo para o seu corpo. Meia hora todo mundo tem para se exercitar. Você está indo tão bem, não deixe de treinar".

Isso durou todo o sábado. No domingo, quando já havia feito a entrevista, mas estava "fechando" o texto com os produtores e editores de São Paulo, continuavam chegando pelo telefone e pelo computador as mensagens de SMS perguntando se eu já havia treinado. Até que chegou uma hora em que peguei o telefone:

– Marcio Atalla, querido, estou trancada no quarto de hotel, finalizando o texto, com um olho no computador e um ouvido grudado no celular com a editora do outro lado da linha. Tenho prazo curto para entregar este texto. O assunto é delicado e precisa ter foco. Hoje é domingo, o *Fantástico* começa logo mais à noite, esta é uma das principais matérias do programa, enfim, não posso me dispersar, não posso sair do quarto, e, por isso, hoje meu corpo vai ficar sem estímulo, ok?!

Acho que ele nem ouviu o que eu disse, ou não deu muita bola. Só sugeriu:

– Pula corda.

Respondo que não sei, ele manda eu tentar. Mas, percebendo que aquele não seria o momento ideal para eu aprender o que não havia conseguido a vida inteira, ele tentou outra coisa.

– Em que andar você está?
– No vigésimo.
– Pronto, perfeito – disse ele. – Desce de elevador e sobe pela escada.

Só me restava dizer que iria pensar no assunto e voltar ao trabalho. Como convencer um professor de educação física de que jornalistas, quando estão em campo, só conseguem pensar em trabalho?

Mas a pressão do Marcio funcionou. A insistência dele mexeu comigo. Até pensei em subir as escadas, os vinte andares, como ele me propôs, mas, no lobby do hotel, uma multidão de loirinhas de minissaia e decote, de onde metade dos peitos saltava para fora, aguardava o Marrone. Se eu aparecesse por lá, elas correriam atrás de mim para ter notícias dele, e eu não estava com a menor vontade de conversar com aquelas pessoas. Tinha de acabar de trabalhar!

Decidi, então, tirar da mala a corda que ganhei de presente.

O MAIOR MICO VIROU ORGULHO

Nem bem comecei, e o número de tropeços já era bem maior que a quantidade de vezes que eu havia conseguido fazer aquela corda passar por baixo dos meus pés.

Eu havia levado a câmera pequena, que o Zeca e eu tínhamos em casa e carregávamos em nossas viagens, para gravar aquilo que o programa chamava de "confessionário": um depoimento nosso, olhando para a câmera, sem ninguém por perto.

Liguei a câmera para que aquele meu esforço ficasse registrado. Durante 35 minutos, coloquei uma música no meu iPhone e pulei corda, SEM CORDA, só fazendo os movimentos, como se fosse uma corda invisível, virtual.

Funcionou, já que suei muito! E minha frequência cardíaca, durante meia hora, ficou no nível de treino intervalado. Estava inventada mais uma modalidade de atividade física: pular corda sem corda!

Em nenhum momento desliguei a câmera, para que ficasse registrado e ninguém duvidasse. No final, ri do meu esforço e liberei energia. Saí mais leve e com as panturrilhas fervendo. A partir desse dia, o Marcio Atalla começou a me chamar de "meu orgulho".

Fim da semana 9 Renata

Semana 9
Atalla

Mais fibras na
ALIMENTAÇÃO

O consumo de fibras ajuda a reduzir as taxas de colesterol no sangue

Quase um mês depois do início do projeto *Medida Certa*, ainda era difícil alterar alguns hábitos da dupla Zeca e Renata. Um deles era fazê-los comer mais fibras.

Elas são essenciais para limpar o organismo. Ajudam o bom funcionamento do intestino e são fortes aliadas no combate ao colesterol alto. Porém, segundo o dietary reference intake (DRI), estamos longe ainda de atingir o nível ideal de ingestão de fibras.

A recomendação é que uma pessoa consuma entre vinte e quarenta gramas de fibras por dia. Elas podem ser obtidas através do consumo de mais verduras, legumes e frutas. Segundo o DRI, quem come no almoço e no jantar uma concha de feijão e seis colheres de sopa de arroz integral está ingerindo pouco mais de cinco gramas de fibras.

Aliado a uma dieta pobre em gordura saturada e à prática de exercícios, o consumo de fibras reduz as taxas de colesterol no sangue. Isso acontece porque as fibras absorvem as moléculas de gordura e produzem substâncias que normalizam a síntese do colesterol.

Elas aceleram também a passagem do bolo fecal e contribuem para o bom funcionamento do intestino. Beneficiam a flora intestinal e aumentam as bactérias benéficas. Evitam, portanto, a constipação e, em consequência, o câncer.

Fim da semana 9 Atalla

Semana 10
Zeca

Zequinha paz e AMOR

Por estar mais magro e sentir (quase) prazer em correr, percebi que meu humor havia melhorado. E era ele que pontuava agora as brincadeiras com a Renata

As coisas estavam melhorando. Mesmo! A preguiça, talvez minha maior inimiga desde o início do *Medida Certa*, já não existia mais. As dores no corpo – inevitáveis no início – simplesmente haviam sumido. Resistir às tentações nas refeições? Ah! Isso eu já tirava de letra. E até o mau humor, consequência das durezas que passei no início da reprogramação do corpo, fora definitivamente embora. Sério! Nós já havíamos aprendido a rir da nossa situação – e não só entre nós, mas junto a quem estava torcendo por nós.

Outro dia, por exemplo, eu estava lá, dando aquele

duro de sempre na minha corridinha em volta da lagoa, no Rio de Janeiro, quando colou do meu lado, pedalando a sua bicicleta, um jovem atleta – talvez ligeiramente fora do peso (eu diria que estou sendo gentil ao avaliar a forma física do meu colega, mas tudo bem). Animado, e ciente da intimidade que o quadro *Medida Certa* criou entre nós e o público, ele disse para a câmera que nos acompanhava: "O Zeca é a inspiração para os gordinhos! Ele malha, ele sua, e a gente emagrece". Fiquei um pouco perturbado com o comentário. Inspiração para os gordinhos? Fala sério, amigo! "Vai lá pedalar", foi minha resposta, tentando ser simpático.

O que parecia ser uma irritação era um estranhamento dessa proximidade que o *Medida Certa* trouxera com quem nos assiste. Entre tantas coisas boas que esse projeto nos deu – e, como faço questão de ressaltar, tudo tem superado nossas expectativas –, essa mudança em nossa relação com o telespectador é uma das mais prazerosas. Depois do *Medida Certa*, sempre que encontrávamos as pessoas nas ruas, a relação era tão direta que tenho certeza de que alcançamos outro patamar de relacionamento – que até nos fez discutir internamente o que estava acontecendo.

Era como se as linhas que separam nosso trabalho – de repórter e apresentador – do telespectador estivessem ficando cada vez mais finas. Estava nascendo ali um novo formato de reportagem em televisão, que inclusive extrapolou as regras do reality (que era a proposta inicial) e humanizou mais ainda a figura de quem está do lado de cá da TV.

NOVIDADES EM AÇÃO

ATIVIDADES QUE EXPERIMENTEI MAIS INTENSAMENTE NO MEDIDA

- Bicicleta
- Remo
- Corrida na areia
- Natação
- Trilhas
- Esteira debaixo d'água

TÃO ÍNTIMOS Várias reportagens, quadros e séries que fizemos já esboçavam essa intimidade maior. A linguagem de diário, por exemplo, já é usada há um bom tempo e, de fato, aproxima o repórter de quem assiste, fazendo o telespectador "entrar" na ex-

Convidamos o telespectador a viver *essa aventura com a gente e* criamos *assim uma identificação muito grande* com as pessoas"

periência de quem contava a reportagem. Há alguns anos, o *Fant* investe no "documental": acompanhar pessoas comuns em situações extraordinárias, criando uma ligação ainda maior com o telespectador, de modo que ele pudesse dizer: "Essa história poderia estar acontecendo aqui em casa".

Mas acho que, com o *Medida Certa*, fomos um pouco mais além nessa relação: convidamos o telespectador a viver uma "aventura" (a da busca de uma vida mais saudável, que ele podia alcançar) e criamos uma identificação das pessoas com alguém que elas consideram especial: o repórter, o apresentador. Parece que as barreiras haviam caído, e agora era como se as pessoas pensassem: "O cara (a mulher) da TV é igual a mim (ou ao meu marido, meu irmão, meu cunhado, o namorado da minha tia), e ele (ou ela) passou pela mesma experiência que eu (ou minha mãe, minha professora, meu colega de trabalho, meu sobrinho mais novo)". Daí para a aproximação física – e o contato íntimo – é um pulo. Como, aliás, ficou claro com meu amigo na bicicleta.

Era isso que eu e Renata estávamos vendo nas ruas. Foi uma descoberta maravilhosa ver de perto que estávamos entrando no cotidiano (e no imaginário) das pessoas. Essa capacidade de mexer com a vida do brasileiro – e de realizar, enfim, aquele que é um de nossos objetivos mais sagrados ao fazer um programa de TV: ter uma consequência positiva na vida das pessoas – era o que me dava inspiração extra para ir em frente, sobretudo naquele período que chamávamos de "reta final". Não estávamos apenas chegando à casa das pessoas todo domingo à noite – estávamos chegando à vida delas. Como lembrou Renata no início dessa semana, já estávamos colhendo alguns frutos – em nossa vida e na vida dos outros também. E isso era quase tão recompensador quanto acordar a cada dia e me sentir um pouco melhor fisicamente.

UM NOVO HOMEM Falando só desse aspecto físico, correr agora era "quase gostoso". Ia sem medo para a pista – ou, como era mais co-

mum, para o meio da rua. Senti que já cruzara uma barreira de resistência, e agora, se eu não fizesse exercício, era como se estivesse dando um motivo para o meu corpo reclamar – isso mesmo, exatamente o contrário do que eu sentia no início. Como eu disse na abertura do episódio dessa semana: "Vocês estão olhando para um novo Zeca". Pela primeira vez, eu estava mesmo me sentindo mais magro – e isso muda tudo. Até o humor! Dali em diante – e até o final do *Medida Certa* –, eu podia ser chamado de "Zequinha paz e amor".

Mas quem disse que o Atalla ia me deixar aproveitar esse, digamos, "estado de graça" em que finalmente eu me encontrava? Levantando a bandeira da diversidade – nos exercícios –, os treinos que ele nos preparou nesses dias superaram tudo o que a gente já havia feito. Não que estivéssemos parados. Além dos treinos especiais, eu e Renata não paramos com nossas atividades de sempre. Ela estava ficando cada vez mais "atrevida" nas pedaladas – ganhando tempo e resistência –, e eu não tinha abandonado minhas aulas com o Léo, meu personal. Fazia sempre também o "circuito das trevas" (os exercícios que o Atalla me passara para executar em casa) e ainda caprichava na corrida na lagoa todos os fins de semana (se ainda não tinha conseguido completar a volta toda, meu objetivo final, pelo menos estava ganhando tempo e, como a Renata, também resistência). Então, justamente para nos tirar dessa "zona de conforto", o Atalla veio com um treino "especial" na areia.

Lembro-me de que foi numa tarde fria no Rio de Janeiro – algo especial. Cheguei com fome e logo comi uma barrinha de cereal – lembrando que a recomendação é ingerir algum carboidrato antes de se exercitar. E aí começou "a farra"... Como qualquer pessoa que já experimentou correr na areia sabe, tudo fica mais difícil. O esforço parece triplicado – e é como se você não estivesse dando conta do recado. É puxado mesmo: começamos correndo dez minutinhos na praia, mas a sensação era de que estávamos dando voltas no mesmo lugar havia duas horas! Mal sabia eu que essa era a parte fácil do treino.

Entre outras surpresas que o Atalla havia programado estavam uma corrida de obstáculos; "tiros" – daqueles que você dispara e chega literalmente com a língua de fora do outro lado; uma corrida em que você está preso por um elástico (qualquer semelhança com um hamster andando naquela rodinha sem parar dentro de sua gaiola, como observei no dia, não era mera coincidência); e até um paraquedas! Amarrado à cintura, o paraquedas se enchia de ar quando eu corria, justamente para criar mais resistência e exigir mais do meu já tão surrado corpinho. Era o que eu temia: o Atalla criativo é um perigo!

Por sorte, como o treino acontecia na praia, o público já começava a parar para assistir e torcer. E, mais uma vez, experimentamos a tal intimidade – não sem algum exagero. (Maria José, uma professora de Belém do Pará em visita ao Rio, não se intimidou na hora de me dar um abraço e dizer que estava feliz de apreciar de perto "aqueles pernão" – sim, ela falava das minhas pernas, mas conto isso menos para me gabar delas do que para dar uma noção de como a nossa relação com o telespectador havia, de fato, mudado.)

E LÁ FOMOS NÓS REMAR
Todo o estímulo do mundo, porém, não seria suficiente para nos animar. Estávamos exaustos – e torcendo para que aquele treino não virasse moda. Tão atordoados, aliás, que mal registramos quando o Atalla avisou que o treino no dia era de remo. Simplesmente concordamos, sem nos dar conta de que estávamos prestes a fazer um dos exercícios mais puxados de toda a temporada do *Medida Certa*.

Você provavelmente deve achar – como eu também achava até então – que remar é bom para os braços e para o tórax. É um raciocínio previsível, porque são essas as partes do corpo que a gente vê o atleta de remo exercitar numa competição. Mas, como não demoramos a descobrir, esse é um esporte que mexe com o corpo todo.

Quem nos esperava lá era ninguém menos que a remadora olímpica Fabiana Beltrame. Ela é atleta pelo Flamengo e nos recebeu animada com a perspectiva de conquistar, quem sabe, mais dois adeptos para o seu esporte. Eu já estava gostando. Sempre que passo ali na lagoa, gosto de admirar as pessoas remando – sem falar que os benefícios para a silhueta de quem pratica são inegáveis.

Como eu levei tanto tempo para descobrir o remo?

Agora era eu que estava prestes a experimentar aquele treino – seria muito difícil? Mesmo antes de "entrar na água", vi que a atividade exigiria um pouco mais de coordenação do que eu imaginava. Começamos o treino numa espécie de piscina, com assentos basculantes e remos de treino, para pegar o jeito, que, diga-se, não veio instantaneamente.

Até eu me acertar com a Renata na sincronia, levamos uma meia horinha – que foi preenchida com muitas risadas. Já falei, nesse meu relato, que minha relação com a Renata, que já era de um enorme carinho e respeito nesses anos todos de trabalho de jornalismo, se tornou ainda mais próxima com o *Medida Certa*. Mas foi justamente nesse dia no remo que percebi que também havíamos chegado a outro patamar de intimidade, com o humor regendo todas as nossas conversas. Sabe quando você é tão amigo de alguém que nem pensa duas vezes antes de fazer alguma brincadeira para "sabotar" essa pessoa – sempre com ironia? Pois eu e Renata havíamos chegado lá! Sob as ameaças de Fabiana de que se não remássemos juntos na piscina não poderíamos ir para a lagoa, respondíamos sempre com comentários engraçadinhos, como se a culpa da falta de coordenação fosse sempre do outro.

E fomos rindo até encarar de verdade o barco, com atletas remando com a gente – mais meia hora de exercício, mas com uma diferença: a atividade sincronizada e a paisagem que nos cercava davam outro tom ao treino – mais gostoso, mais tranquilo, mais leve.

VARIAR É O SEGREDO

Quando voltamos à "terra firme", o Atalla avisou que provavelmente sentiríamos algumas dores no dia seguinte em lugares que nem poderíamos imaginar – será que a essa altura existia alguma parte do corpo que a gente ainda não havia trabalhado? O que ele queria frisar era que o importante no nosso programa é variar sempre a atividade, não deixar o corpo se acostumar apenas a um tipo de exercício. A mensagem faz sentido: toda vez que você surpreender seu corpo com um novo estímulo, ele vai ter de reagir de maneira diferente – e talvez desenvolva outra maneira de gastar a energia acumulada.

"Daqui a um mês vou estar fora da vida de vocês", declarou o Atalla – notícia que recebi com um misto de lamentação e alívio (brincadeira!). Mas o importante, segundo ele, era que a gente guardasse essa lição de manter a regularidade e privilegiar uma variedade de exercícios. Isso serviu de gancho para que a Renata me lembrasse de que eu ainda não tinha experimentado uma boa pedalada – algo que lhe prometi fazer em breve, sem muita convicção.

Terminamos a nossa semana almoçando num restaurante a quilo aonde costumo ir, onde fiz o que as meninas que trabalham lá chamam de um "bom prato de operário". Nesse dia, isso significou exatamente 860 gramas de... saúde! Afinal, peguei só verduras, grãos e legumes. Meu período sem carne vermelha terminava oficialmente naquele dia, mas eu estava tão animado com os resultados até então – a digestão estava, de maneira geral, mais fácil, e o "sacrifício" de evitar a carne nas refeições, optando por peixes ou mesmo um prato vegetariano, acabou sendo bem menor do que eu imaginava – que resolvi estender o prazo para poder finalmente me reencontrar com um bom bife. Decidi ficar, no total, um mês (e não apenas quinze dias) sem comer carne vermelha.

Se "regularidade" é a palavra, como o Atalla gosta de insistir, eu ia investir tudo naquilo. Não era a "reta final"? Então, não tinha nada a perder – a não ser, claro, mais alguns centímetros na cintura. Com a perspectiva de experimentar na semana seguinte roupas que já não me cabiam, isso era tudo que eu queria: alguns furinhos a menos em meu cinto.

Fim da semana 10 Zeca

Semana 10
Renata

Abri a MALA e...

Visivelmente mais magra, eu ainda resistia em vestir aquelas roupas guardadas. Algumas "quase" cabiam, mas outras já precisavam de bons ajustes

A décima semana foi bastante importante na minha relação com o espelho. Já fazia quinze dias que a produção vinha insistindo para eu abrir meu armário e vestir as roupas que mostrariam minhas novas medidas. Mas eu resistia a essa ideia. Acho que, no fundo, estava com medo de não corresponder às expectativas do público.

Quando comecei o *Medida Certa*, enchi uma mala com blusas e calças de que eu gostava, mas não me serviam. Era uma mala que eu só abriria no final do desafio... se funcionasse. E o final do desafio estava chegando.

O Zeca, animadíssimo, fez questão de mostrar e comemorar com muito barulho seu novo manequim. Eu estava ainda um pouco tímida para isso. Aliás, demoro muito para comemorar as minhas vitórias. Eu já havia emagrecido, todos ao redor notavam isso, minhas roupas já revelavam as novas medidas, mas eu ainda não me sentia "no direito" de

comemorar. Como se tudo aquilo que estava acontecendo em minha vida ainda não fosse sólido o suficiente para merecer prêmios e recompensas. Era como se eu ainda duvidasse do que já havia conquistado.

TEM QUE COMEMORAR Nesse aspecto, a convivência com o Zeca estava sendo um aprendizado. Ao menor sinal de vitória, ele curte, comemora, anuncia, exibe, grita para o mundo! Se passar por alguma privação, alguma dificuldade, imediatamente ele se presenteia e se apropria de todas as recompensas possíveis.

Minha reação já é bem mais tímida. Como se tudo fosse uma obrigação e, portanto, não merecesse prêmios. Que atitude mais ditatorial comigo mesma! Isso me fez pensar muito durante esses noventa dias. Eu achava muito estranho o Zeca festejar tanto por tão pouco. Mas, entenda bem, "tão pouco" na minha visão autoritária comigo mesma. Fui descobrindo que ele estava certo. Tinha que comemorar. Estávamos numa luta enorme, com nossa vida exposta, trabalhando muito, conquistando novos hábitos, cativando o público e atraindo seguidores, e eu não conseguia me apropriar desse sucesso todo?

Claro que eu estava errada. E não era a primeira vez que cometia esse erro. Foram anos de terapia para eu aprender a me cobrar menos e me valorizar mais. Ainda cometia erros, mas pelo menos conseguia enxergá-los.

Roupas que não cabiam, ou até serviam, mas não caíam bem no corpo antes do *Medida Certa* começar. Pela primeira vez tive certeza absoluta de que realmente meu corpo estava diminuindo de tamanho.

A CAMISA TRANÇADA SERVIU! Quando, na décima semana do desafio, tive de abrir meu guarda-roupa para o *Fantástico*, mergulhei nos motivos que estavam me deixando tão desconfortável com aquela situação. Vi que eles eram pouco racionais. E marquei o dia da gravação.

Por sorte, e completamente por acaso, minha costureira estava em casa por conta de uma capa de sofá que precisava costurar. Aproveitei a presença dela e lhe pedi para ficar e participar da gravação. Assim, a cena seria

mais verdadeira, e menos encenação para as câmeras, já que eu realmente precisava ajustar algumas roupas.

Quando abri a mala e joguei as roupas no sofá, vi o resultado do efeito sanfona em meu corpo nos últimos anos. Eu tinha roupas que ainda estavam apertadas, roupas que "quase" cabiam e roupas que estavam largas e precisando de ajustes! Era muito fácil observar, naqueles vestidos, calças e blusas, minha oscilação de peso nos últimos anos. E isso me fez querer acabar de vez com o problema.

Primeiro, peguei uma camisa, toda trançada na frente, que havia comprado com uma amiga em Paris pouco antes de o desafio começar. Minha amiga, Flávia Cristófaro, comprou uma igual, e nela a camisa fechava completamente. Mas eu precisava usar uma blusinha por baixo, porque o "trançado" não fechava completamente. Não "fechava", porque agora estava certinha em mim, e foi a primeira roupa acinturada que vesti depois de muitos anos.

Vesti várias peças e fiquei impressionada. A costureira colocou um palmo entre minha cintura e o cós de várias calças. Eu havia diminuído quase dois números, o que equivalia a dizer que passara de 44 para 40 ou 42. Vestidos que ficavam horríveis, marcando o corpo, agora caíam lindamente. Acho que foi a semana mais feliz desses noventa dias.

TÁTICAS PARA JORNALISTAS

Tínhamos mais duas semanas pela frente, e uma imensa coleção de e-mails do público com perguntas, dúvidas e elogios ao quadro. A dúvida mais recorrente era sobre o que comer nos intervalos das refeições. Marcamos um lanche com a Laura Breves, nossa nutricionista, para que ela nos desse alguns exemplos.

Entendi algo que ainda estava confuso na minha cabeça. Devemos fazer, no mínimo, quatro refeições por dia, mas o ideal para quem quer perder peso são seis: café da manhã, lanche da manhã, almoço, lanche da tarde, jantar e ceia. O problema é que essa programação só pode ser cumprida por quem tem horário fixo: café da manhã por volta das 7 ou 8 horas; almoço entre 12 e 13 horas; lanche entre 15 e 16 horas; jantar por volta das 19 ou 20 horas; e ceia entre 22 e 23 horas.

Essa é uma rotina que cabe bem na vida de quem cumpre o "horário comercial" de trabalho, ou seja, a maioria dos mortais, como bancários, lojistas etc., mas é absolutamente impossível para o dia a dia imprevisível de um jornalista.

A nutricionista ofereceu a solução: eu deveria manter as seis refei-

ções, sempre a intervalos de três ou quatro horas, mas seu conteúdo teria que se modificar conforme as condições do momento. Por exemplo, se estiver impossibilitada de almoçar na hora prevista, devo "adiantar" o lanche da tarde. Para isso, é fundamental que meu lanche esteja disponível em minha bolsa. Caso contrário, corro o risco de comer a primeira besteira que me aparecer pela frente. Quando chegar a hora do lanche, aí, sim, devo almoçar.

Outro exemplo: se o jantar for muito tarde da noite, o ideal é "antecipar" a ceia, como se fosse um segundo lanche da tarde. Assim, não vou chegar ao jantar morrendo de fome nem ficar muito tempo sem comer entre o lanche e a próxima refeição. Entendendo isso, ficou mais fácil seguir o fracionamento de três em três horas.

Mas o que comer nesses intervalos? O ideal é um sanduíche, que tem volume e fibras: pão integral, queijo cottage ou queijo branco, presunto sem gordura ou blanquet de peru. Se você colocar um tomatinho com orégano e uma folha de alface, fica mais gostoso ainda.

Também se pode substituir esse sanduíche por uma barra de cereal, mais dois polenguinhos light, mais duas castanhas-do-pará.

Quer outras dicas? Um copo de leite semidesnatado batido com banana e aveia; um iogurte desnatado com cereal; ou cinco biscoitos de água e sal com requeijão light.

EXERCÍCIO: SEMPRE!

Nessa décima semana, deu a louca no Atalla. Ele intensificou pra valer o nosso treino. Fizemos corrida no calçadão, treino intervalado e de resistência na areia da praia e até aula de remo. Era a última mensagem sobre a importância de ter disciplina quando o assunto é atividade física.

Era muito importante que, nesses três meses, detectássemos em que atividade conseguiríamos manter a regularidade. Regularidade é a palavra-chave na atividade física. Anote isso e nunca mais esqueça!

Se dependesse só do meu prazer e da minha vontade, eu ficaria na bicicleta ao ar livre. Mas minha vida não permite isso. E talvez eu até me cansasse de uma rotina repetitiva.

Escolhi quatro atividades que gosto de fazer: ciclismo, corrida na praia, corrida na esteira e spinning. Correr na praia ou na esteira são atividades mais práticas para pessoas que viajam muito, como eu e o Zeca. E o ciclismo fica para os fins de semana ou para os dias em que meu horário estiver mais folgado.

Meu treino, montado pelo Atalla para ser incorporado para sempre na minha rotina, ficou assim:
- Treino aeróbico seis dias por semana. Alternar os treinos durante a semana para variar os estímulos. Quando o corpo recebe sempre o mesmo estímulo, com o tempo tende a queimar menos calorias.
- Fazer dois treinos intervalados: escolher entre bike e corrida.
- Corrida: trinta minutos; um minuto correndo forte (sensação de esforço entre oito e nove), e dois minutos andando.
- Bicicleta: trinta minutos; quarenta segundos pedalando forte, carga 10 e rpm 100. Descansar um minuto e andar vinte, carga 2 e rpm 70.
- Dois treinos contínuos: bike ou esteira cinquenta minutos, frequência entre 135 e 145.
- Dois treinos de limiar: terça e sábado, frequência cardíaca entre 150 e 165.
- Pilates duas vezes por semana.
- O spinning pode substituir o treino intervalado se alternar música forte e música lenta, mas não substitui o treino longo e contínuo.

MEU DESAFIO FINAL Para se ter uma ideia do meu pique nessa semana, às 7h15 eu já estava subindo a trilha do Parque Nacional da Tijuca rumo à Vista Chinesa. Mesmo com frio e neblina, eu ia disposta e feliz da vida.

Menos de um mês antes, meu desafio era subir os cinco quilômetros dessa estrada. Agora, eu já conseguia pedalar esse percurso com certa "tranquilidade". Esse limite eu já havia ultrapassado.

Então, me impus um novo desafio, bem mais difícil: atravessar o Parque Nacional da Tijuca e chegar, pelas suas trilhas, ao principal cartão-postal da cidade: a estátua do Cristo Redentor. Agora seriam 24 quilômetros, com algumas paradas no meio do caminho, um trajeto cheio de ladeiras, sendo as do último quilômetro incrivelmente íngremes. Comecei a treinar muito para isso.

O ciclismo fica para os finais de semana.

Apesar de a nona semana ter sido uma das mais "pesadas" em termos de atividade física, eu me sentia bem. Acho que foi uma das fases de maior disposição nesses noventa dias. E olha que pedalamos, corremos e remamos. Uma verdadeira maratona de esportes!

Estar com o corpo mais leve faz muita diferença. O exercício rende mais, a preguiça vai embora, o bom humor impera. Eu estava com condicionamento físico, e os benefícios eram imensos. Quanto mais condicionada eu me sentia, mais vontade e disposição eu tinha para treinar.

Nosso exemplo havia contagiado o país inteiro. Todos os dias chegavam à redação relatos de pessoas que eram sedentárias, haviam começado conosco um programa de emagrecimento com saúde e já colhiam resultados. Era só eu sair na rua para ouvir: "Renata, perdi três quilos graças a você! Renata, você é minha inspiração! Renata, estou fazendo tudo igual a você!".

Ao mesmo tempo que esse sucesso era tudo que eu poderia desejar, a cada pessoa que me parava para dizer uma frase dessas aumentava a minha responsabilidade. Há muito tempo eu não via um quadro de televisão atingir todas as classes sociais. O *Medida Certa* era assunto em todo lugar!

Um dia, cheguei ao banco para resolver problemas pessoais, e a gerente foi logo me mostrando a silhueta nova que havia conquistado seguindo as dicas do *Medida Certa*. Incentivada pelo programa, ela tinha voltado para a academia. Pouco depois, a garçonete que serve café veio atrás de mim para dizer que estava com uma lipoaspiração marcada e, quando assistiu pela primeira vez ao nosso reality, desistiu da cirurgia e decidiu seguir nossas dicas. Dá pra ter uma ideia de quanto eu me senti feliz?

Fiquei imaginando quantas pessoas não teriam se animado e começado a caminhar ou a fazer qualquer outra atividade física. E quantas dessas pessoas não ganharam anos a mais de vida por conta disso?

Em tempos de concorrência acirrada na TV aberta, quando algumas emissoras fazem qualquer coisa para ter audiência, sem pensar em prestar um serviço para o seu público, eu estava muito feliz de fazer parte daquele momento do *Fantástico*. Feliz de estar chegando ao final do projeto e ter tido apoio do público do início ao fim. Feliz de não ser uma simples "personagem" de reality, mas uma repórter de televisão experimentando um programa de saúde que pessoas do país inteiro passaram a seguir.

Eu não queria que o programa terminasse dali a duas semanas só com desafios pessoais. Por isso, dei uma ideia ao meu diretor, Luiz Nascimento: encerrar o *Medida Certa* convidando as pessoas para um domingo de caminhada. Quem ainda não havia começado a mudar hábitos alimentares e colocado a atividade física em sua rotina poderia aproveitar a oportunidade e começar. Marcaríamos um local em cada cidade, as afiliadas da Globo gravariam a caminhada, e mostraríamos trechos no último episódio do *Medida Certa*.

O Marcio Atalla e o Luiz Nascimento adoraram a ideia, que foi ganhando adeptos, a ponto de extrapolar o *Fantástico* e receber apoio de outros departamentos da emissora. Foi assim que surgiram as "Caminhadas *Medida Certa*" pelo país. Elas nasceram por volta da décima semana e passaram a acontecer no mês de julho, um domingo depois do último episódio do reality.

MEDIDA CERTA NAS REDES SOCIAIS

Não era só na rua que eu via o sucesso do *Medida Certa*. Nas redes sociais, especialmente no Twitter, meu número de seguidores não parava de aumentar. Muitos só escreviam palavras de apoio, mas outros queriam saber detalhes da minha rotina: o que eu comia, que quantidade de exercícios eu fazia, que comida era liberada e qual era proibida etc. etc.

Sou muito responsável na hora de passar qualquer informação, mesmo que informalmente. Afinal, sou jornalista e não podia responder como se fosse uma nutricionista ou preparadora física. Todas as perguntas eu respondia perguntando ao @marcioatalla se a minha resposta estava correta. Ou passava as dúvidas diretamente para ele responder. Claro que o Marcio Atalla, um poço sem fundo de gentileza e educação, respondia a todas.

Fiz amizades no Twitter. Passei a conhecer histórias de pessoas que tinham problema de peso, recebia fotos e também postava muitas, muitas fotos mesmo. Era só começar um treino e logo postava uma foto minha em cima da esteira, da bicicleta, ou correndo na areia. E ainda colocava uma provocação do tipo: "Eu já treinei hoje, e você?". Se alguém respondia que não tinha tempo, eu repassava para o Marcio, que ia logo dizendo que falta de tempo não existe, mandava trocar o elevador pela escada, descer em um ponto de ônibus antes do habitual para dar uma caminhada mais longa para chegar ao trabalho ou de volta para casa. O Marcio e eu passamos a ter um discurso "motivacional" na rede. Ríamos, nos divertíamos com isso.

Celebridade, eu? O sucesso do *Medida Certa* me levou para algumas capas de revistas.

Nos restaurantes era a mesma coisa. Eu sempre fazia questão de fotografar meus pratos e colocar as fotos no Twitter. As pessoas adoravam participar desse momento. E o assunto não esfriava de um domingo para o outro, porque o relacionamento com o público continuava no blog do programa e no meu Twitter pessoal.

CELEBRIDADE, EU? Outro termômetro do sucesso do *Medida Certa* nessa semana foi a quantidade de revistas interessadas em fazer uma reportagem comigo e com o Zeca. Muitas revistas femininas estavam me procurando. E eu, claro, adorando.

Eu estava muito mais magra, mais segura e com legitimidade para afirmar que a atividade física, aliada a hábitos alimentares saudáveis, funciona muito mais que qualquer remédio ou dieta da moda.

Mas só entenderiam a minha mensagem as pessoas que não estivessem esperando de mim um corpinho de modelo. Eu contava sobre a experiência de uma mulher de 47 anos, em uma fase em que nem sempre conseguimos ter controle sobre as oscilações de nossos hormônios, que estava conseguindo emagrecer com saúde, independentemente da idade, do tão "culpado" metabolismo lento, da rotina intensa de trabalho e da falta de tempo. E era tudo verdade.

Escrever tudo isso agora é fácil. Mas, na reta final, com tanta repercussão e em contagem regressiva para subir novamente na balança, nem a carga toda de adrenalina do exercício físico conseguia aplacar a minha ansiedade.

Fim da semana 10 Renata

Semana 10
Atalla

CAMINHADA
ou corrida intervalada

O ideal é alternar passos mais lentos com passadas mais rápidas

Passadas lentas alternadas com passadas rápidas ajudam a emagrecer. Muita gente acredita que, quanto mais rápida for a caminhada, mais acelerado será o emagrecimento.

Uma pesquisa realizada pela New South Wales University, na Austrália, mostrou que isso é mito. No estudo, um grupo de mulheres se exercitou caminhando por vinte minutos, três vezes por semana. Esse grupo alternava passadas rápidas e moderadas, enquanto outro caminhava por quarenta minutos, na mesma frequência, porém em passo constante e num ritmo forte. Resultado: o primeiro grupo perdeu cinco vezes mais peso e adquiriu pernas e glúteos mais fortes.

Tal fato ocorreu porque atividades leves metabolizam mais gordura que açúcar. A gordura fornece energia ao corpo nos exercícios de longa duração e de intensidade baixa a moderada. Já o açúcar começa a ser metabolizado em atividades de curta duração e alta intensidade. Nos primeiros vinte minutos de caminhada, que alterna passos lentos e rápidos, o organismo utiliza mais açúcar que gordura, e é isso que ajuda a ema-

grecer. O corpo começa a diminuir o açúcar para consumir mais gordura, porque há uma reserva maior de lipídios e menor de carboidratos. Logo, quando se aumenta o passo, o açúcar é queimado; quando a passada é diminuída, ocorre a eliminação de gordura.

Esse tipo de atividade é mais eficiente para diminuir a circunferência abdominal, um fator de risco para várias doenças cardiovasculares, diabetes e pressão alta. A maior eficácia se deve à maior liberação de adrenalina, que estimula a queima de gordura visceral.

Escolha dois dias da semana para se exercitar. Intercale alguns minutos andando e alguns minutos acelerando o passo ou mesmo dando uma corridinha moderada e verifique os resultados. Como em todo exercício, não se esqueça da hidratação.

Fim da semana 10 Atalla

Semana 11
Zeca

Cabendo - de novo - nas
ROUPAS

Era inacreditável, mas eu havia mudado de manequim e já podia "namorar" aquelas peças que eu havia até esquecido que estavam enfurnadas no armário

Entre algumas boas notícias da semana, voltei a fazer o tipo de exercício para o qual acho que nasci: *kathak*. Isso mesmo, *kathak*, uma das oito escolas de dança clássica indiana. Conheci essa linguagem de movimentos no período em que mais trabalhei meu corpo – justamente o período em que eu dançava.

Como contei na introdução deste livro, fiz isso durante mais ou menos dez anos – e nesse período experimentei várias danças étnicas. Mas nenhuma, por motivos que vou explicar daqui a pouco, me encantou tanto quando o *kathak* – e ter tido a oportunidade de reencontrar essa dança deu um novo fôlego à reta final do *Medida Certa*.

Para chegar lá, porém, tive de pagar o que eu poderia chamar de

"pedágio". De acordo com a proposta do Atalla de não deixar nosso corpo se acostumar a um tipo só de exercício, abri uma brecha da qual eu sabia que iria me arrepender: um convite da Renata para tirar um dia inteiro para andar de bicicleta.

Pedalar, como ficou claro ao longo do *Medida Certa*, é a atividade favorita da Renata. Ela é simplesmente obcecada por bicicleta – e depois que seu marido, o Gustavo, resolveu acompanhá-la no projeto, cruzar o Rio de Janeiro sobre duas rodas tornou-se para eles uma espécie de ritual. Havia semanas ela tentava me convencer a sentir o mesmo entusiasmo que ela por bicicleta – e eu resistindo. Até que não deu mais.

MOMENTOS DE TORTURA

Num belo domingo de manhã, Renata passa em casa já com uma bicicleta extra no carro – e mais um kit para eu "aproveitar" ao máximo o passeio. Isso incluía – veja só – uma roupa bem apertada e esquisita, em especial um short justíssimo que tem uma parte – adivinhe qual – acolchoada. Isso só poderia significar uma coisa: que eu teria uma manhã não muito agradável pela frente.

Renata finalmente me arrastou para fazer seu circuito de bicicleta...

Mal cheguei ao local onde ela costuma pedalar, comecei a reclamar. E, em vez de ganhar um estímulo, a primeira coisa que ouvi foi um esculacho de um companheiro – o seu Silva, nobre motorista do *Fantástico* há anos (um personagem tão querido quanto divertido, que hoje já faz parte da história do programa). Vendo que eu hesitava diante da missão de encarar a pista da Vista Chinesa de bicicleta, ele soltou: "Até um gordo sobe isso". Muito obrigado, seu Silva, é assim que a gente não desanima.

Esse bom humor, no entanto, não durou muito. Logo estávamos eu e Renata pedalando, e ficou claro quem estava mais confortável com o esforço: Renata, obviamente! Eu, simplesmente, não conseguia relaxar. Entendo os argumentos dos apaixonados pelas bicicletas – uma maneira deliciosa de aproveitar a natureza e ainda queimar calorias. Senti até a camaradagem que rola entre

os ciclistas – e Renata ainda fez questão de lembrar que nunca viu um ciclista gordo.

Mas, para mim, o dia ia se desdobrando em torturas. Mesmo com aquele acolchoado no short, meu corpo se mostrava incomodado. Olha, se não fossem as pessoas dando força ao longo do caminho – ouvi até um "Tá ficando lindão, Zeca" –, eu teria desistido. No final, senti que o corpo havia sido muito bem trabalhado. Mas quando descobri que ainda teria que voltar à TV pedalando, nem o relativo alívio de saber que a volta seria "ladeira abaixo" ajudou. Cheguei para trabalhar todo "desconjuntado" e cansado, mas uma novidade levantaria o meu astral.

ALÔ, TERNOS MAIS ENXUTOS

Na hora de experimentar a roupa que usaria para apresentar o *Fant* daquele domingo, confirmei algo de que já desconfiava: eu havia mudado de manequim. Adeus, ternos 54! Alô, ternos 52! Você faz ideia do que isso significa na vida de uma pessoa? No início desse projeto, comentei que uma das coisas que nos ajudam a perceber que estamos fora de forma é o desconforto que as roupas que sempre usávamos – e que nos caíam tão bem – passam a nos causar. Além de você já não se sentir bem dentro delas, sua figura começa a ficar deselegante. É, então, que você compra uma roupa um tamanho maior – e, dali em diante, as coisas só tendem a piorar. Aquelas que não lhe cabem mais você guarda no fundo do armário ou numa mala (a Renata tem em casa o que ela chama de "montinho triste", ou seja, as peças que ainda não lhe servem). E fica sempre a esperança de que um dia você vai "ressuscitar" todas elas – e ser feliz! Como todo mundo que ganha alguns quilos, eu também fiz isso. E no trabalho, muito discretamente, minhas fiéis figurinistas foram alargando meus ternos 52, até que só mesmo um 54 caberia em mim.

... e me arrependi. Ela estava muito mais preparada para esse esporte do que eu!

Gosto de me vestir bem – ter umas roupas legais, de estilo –, mas, de alguns anos para cá, vinha percebendo que as peças que eu gostaria de usar já não existiam

no meu tamanho. Alguma coisa, claro, estava errada. E o problema não era das confecções. Mesmo percebendo isso, teimoso que sou, insistia em usar algumas peças, ainda que apertadas. Mas até nisso eu havia chegado a um limite. Então, quando recebi oficialmente a notícia de que meu manequim havia diminuído, você pode imaginar a minha comemoração. Como disse naquele episódio, a sensação era de que os anjos cantavam no céu: "Ele conseguiu! Ele conseguiu!".

Isso significava, primeiro, que eu poderia usar aquelas roupas legais que estavam meio esquecidas no armário. Significava também que meu visual no *Fant* já começava a ter outro registro – como muita gente diz (e é verdade), a televisão sempre engorda um pouco, mas, se as roupas tinham uma modelagem menor, as câmeras certamente estavam captando essa mudança.

Comemorei a notícia de que o meu manequim diminuiu.

No fundo, o que importava mesmo era que o *Medida Certa* estava funcionando. Há algumas semanas, a gente já percebia os resultados. As medições no meio do caminho, em especial, nos deixaram mais animados. Mas essa coisa das roupas era, digamos, a "prova física" de que tudo estava mudando para melhor. Eu estava longe de achar que estava magro (a própria Renata sempre me dizia que seria difícil chegar aos níveis de magreza que tínhamos antes), mas já me sentia confortável no novo corpo. E isso, claro, me colocava num outro patamar de autoconfiança.

Tudo estava dando certo. E eu estava em paz com o meu estômago. Essa era a última semana que eu passava sem carne vermelha – e tenho que confessar que não estava sentindo muita falta (claro que, quando pensava em um bom bife grelhado, eu ainda salivava, mas não era uma obsessão).

MAIS E MELHOR

Fora isso, eu estava plenamente satisfeito. Afinal, estava (pelo menos era essa a minha impressão) comendo "mais" do que antes. Isso mesmo, eu achava que estava comendo mais – só que melhor! O lan-

"A TELEVISÃO sempre engorda *um pouco*"

ce de se alimentar a cada três horas, para deixar o metabolismo sempre ativo, funciona mesmo – desde que se com as coisas certas.

A nutricionista Laura Breves nos ajudava bastante nesse quesito – e nessa semana, respondendo a várias dúvidas de pessoas que acompanhavam o *Medida Certa* e queriam saber que tipo de lanche poderiam comer entre as refeições, ela deu boas dicas. Por exemplo, a de que um sanduíche era ideal para esses intervalos – desde que de pão integral, com um queijo leve, branco ou cottage, e um recheio leve, por exemplo, de peito de peru ou presunto magro. As barrinhas de cereais, segundo ela, não matam a fome de ninguém – então, o ideal é complementá-las com algumas castanhas e até um queijo pasteurizado light. E as frutas, claro, sempre são bem-vindas.

Enfim, tudo estava indo bem no *Medida Certa*, e eu só tinha motivos para comemorar. Ainda mais quando o Atalla sugeriu que, para variar os exercícios da semana – e fazer alguma coisa de que eu gostasse (ao contrário da bicicleta) –, eu tentasse retomar a dança.

DE VOLTA AO *KATHAK*

Liguei correndo para uma colega que dançava comigo nos anos 1980 e que seguiu fundo nas escolas indianas: Sônia Galvão. A Sossô – como todo mundo a

SABEDORIA DAS ROUPAS

BONS SINAIS DE QUE SUAS MEDIDAS ESTÃO MUDANDO

- Você começa a usar a camisa para dentro da calça
- Finalmente você precisa usar um cinto!
- Camisetas e malhas já não ficam marcadas no tórax
- É mais fácil amarrar os sapatos (sério!)

chama carinhosamente – estuda (e ensina) dança indiana há mais de vinte anos. O que começou como uma curiosidade acabou se tornando uma carreira e até um estilo de vida (ela é casada com um grande amigo meu, que é indiano, o Tuli). Suas especialidades são o *odissi* e o *baratanatian* – duas outras escolas de dança clássica indiana. Mas ela também é boa no *kathak* – e, em nome dos velhos tempos, topou fazer uma aula comigo.

Minha paixão por essa dança surgiu na primeira viagem que fiz à Índia, em 1986. Viajei com o grupo de dança de Ivaldo Bertazzo – em cuja escola eu dava aulas naquela época –, e Nova Déli (a capital do país) era apenas uma escala para o nosso destino final, Bali (Indonésia), onde passaríamos dois meses estudando dança. Pretendíamos ficar apenas alguns dias por lá – afinal, o "paraíso" nos esperava em Bali.

A chegada à Índia foi um choque. O primeiro contato com uma cultura totalmente diferente é sempre esquisito, mas aquela chegada a Déli foi brutal. Em vez de prestar atenção às belezas sutis da cidade (e daquela cultura), ficamos apenas na superficialidade das diferenças: na pobreza gritante e no aparente desconforto inicial. Sábio, Ivaldo (que já havia feito essa viagem algumas vezes) nos recomendou que descansássemos no hotel por doze horas e nos prometeu uma surpresa para o dia seguinte.

Logo que acordamos, ele nos colocou em uma van, e fomos direto a uma escola de dança indiana, onde assistimos a uma apresentação de *kathak* que era algo fora do comum. Príncipes e princesas, com aquelas roupas lindas, brilhos espalhados pelo corpo, aquela música hipnótica, os movimentos ao mesmo tempo precisos e sinuosos – tudo ali era tão sedutor que me apaixonei na mesma hora pela dança (e nem queria mais ir a Bali – veja que ironia).

Nos meus vinte anos, então, me dediquei à dança – e com a minha cara de indiano ajudando, até que mandava bem! Os movimentos do *kathak* são complicadíssimos, sempre cruzando diagonais, com os pés batendo forte no chão e braços e cabeça alinhados em desenhos impossíveis – e tudo muito rápido. É uma dança muito vigorosa e sempre me deu muita energia. Mas será que eu lembraria seus passos?

" Ao voltar a fazer dança indiana, minha preocupação era: Será que eu vou me lembrar de todos os movimentos?"

Eu havia dançado *kathak* pela última vez em 1996, pouco antes de entrar para o *Fant*. Será que meu corpo lembraria de tudo? Sossô me garantia que sim – e em menos de quinze minutos de aula pude ver que ela não estava errada. Começamos num ritmo lento – até porque o aquecimento do *kathak* tem muita repetição. Mas logo eu já estava repetindo passos que não fazia havia anos. Talvez não com o mesmo vigor, nem com a mesma precisão de outrora, mas certamente com o mesmo prazer. No final, eu me sentia tão bem que a Sossô queria me convencer a retomar as aulas – o que prometi que faria (sem muita convicção, apesar de não me faltar vontade).

E AQUELE TOMBO, HEIN? Mas como nem tudo na vida é prazer, no dia seguinte o Atalla já me esperava com um *triatlo*. Começamos pedalando – e de alguma maneira que não sei explicar, pedalar numa bicicleta ergométrica me incomoda menos que ao ar livre (vá entender). Em seguida, veio o que eu mais temia: uma esteira. Talvez você lembre que desde o início do *Medida Certa* tentei evitar esse aparelho a todo custo. Não sei se é algum trauma, mas tenho horror de correr numa esteira. Só que dessa vez não tinha como escapar – o Atalla exigiu que eu fizesse pelo menos meia hora de corrida. Fui tão de má vontade que até levei um tombo! Numa das cenas mais memoráveis (se bem que não pelos motivos certos) de todo o projeto, fechei os olhos em pleno movimento, para imaginar que estava correndo na lagoa... e fui cuspido para longe! Um pequeno vexame, que tentei esquecer na terceira parte do triatlo, na piscina.

Lá, depois de dar boas braçadas – eu estou ficando realmente bom no estilo borboleta –, fizemos nosso "balanço semanal". Como a semana tinha sido muito puxada, sobretudo nos exercícios, resolvi descansar me apoiando nas boias das crianças. Renata não acreditou no que viu quando chegou para a nossa conversa, mas acabou entrando no clima descontraído. O Atalla também estava mais tranquilo. Tentava disfarçar, jogando duro para não nos "dar mole", mas estava contente com a nossa performance. Tanto que nem levamos tanta bronca. Foi mais um lembrete para não entregarmos os pontos justamente agora, quando estávamos na reta final do *Medida Certa*. Mas esse recado era quase desnecessário. Relaxar? Agora? Nem pensar!

Fim da semana 11 Zeca

Semana 11
Renata

Uma mulher ALTERADA

Discuti com a chefia, me sentia inchada, comi três bombons. Quem eram os culpados? Os hormônios, é claro!

Uma confusão de sentimentos. Apesar de eu estar mais magra, o Zeca aparentava ter perdido bem mais peso do que eu. Nessa décima primeira semana, eu estava sentindo na pele a diferença de velocidade no emagrecimento entre um homem e uma mulher.

Que irritante isso! Seriam os hormônios? Acho que sim. Aliás, meus hormônios nessa penúltima semana estavam em guerra. Não sei se entre eles, ou se todos haviam se juntado em um complô contra mim. Parecia até uma crise de TPM fora de época. Eu apresentava todos os sintomas: irritação, vontade de devorar um chocolate, inchaço, ímpetos de raiva, vontade de ficar trancada em um quarto escuro e esperar passar.

Era pura ansiedade, com uma pontinha de angústia me alfinetando lá no fundo. "Por quê", eu me perguntava? "Logo agora que meu cor-

po finalmente entendeu que acabou a moleza, que estou emagrecendo mais rapidamente, que tudo parece estar indo bem e o *Medida Certa* está acabando?" A sensação era de que meu corpo havia começado a responder a todas as mudanças que eu vinha provocando nele nos últimos tempos somente naquela décima primeira semana, quando já estávamos no final do segundo tempo de jogo e, portanto, não havia muito mais o que fazer.

ANSIEDADE, QUEM PAGARIA POR ISSO?

Na redação do *Fantástico*, os colegas nos parabenizavam pelo programa, pelo exemplo que vínhamos dando, mas eu esperava melhor "compreensão" da minha chefia naquele momento. Estava cansada de passar tanto tempo acompanhada por câmeras e equipes de reportagem. Quando não era para registrar minha rotina no *Medida Certa*, era para gravar minha reportagem da semana para o programa. E naquelas duas últimas semanas o Atalla decidiu pegar pesado na atividade física, e isso tomou muito mais tempo da minha rotina.

Eu estava com dificuldade de terminar a matéria daquela semana, entre outras coisas por causa da minha falta de agenda. Quando expus os motivos do atraso, porque estaria mais tempo envolvida com o *Medida Certa*, ouvi a frase: "O *Medida Certa* não pode atrapalhar a rotina de trabalho".

A chefia de redação estava certa. Afinal, isso havia sido combinado desde o início: em nenhum momento deixaríamos de cumprir nossa rotina de trabalho por conta das atividades físicas, já que isso não seria condizente com a realidade do público. Afinal, ninguém pode parar de trabalhar para se exercitar e perder peso.

A prova de que é difícil conciliar as duas coisas, eu vivia naquela cobrança. Não importava o sucesso do quadro no ar e nas ruas. Uma coisa era esse sucesso, outra coisa era ter mais uma reportagem no programa. E ambas não se misturavam. Ou, pelo menos, não podiam se misturar.

A discussão com a chefia teria sido em outro tom de voz se eu estivesse em meu estado emocional perfeito. Mas não estava. Apesar de eu me sentir feliz, a contagem regressiva dos noventa dias estava se esgotando, o que me deixou emocionalmente mais frágil. E acabei discutindo mais com a emoção do que com a razão. Comecei a chorar. Que ridículo! Ainda bem que a Marcela Amódio, produtora, amiga e confidente, assistiu à discussão e me defendeu. Ainda bem que havia uma mulher ali por perto para entender que eu estava pedindo "colo". Os cargos de chefia deveriam ser obrigatoriamente preenchidos por 50% de mulheres e 50% de homens. Na Noruega é assim. Tenho certeza de que nós, mulheres, seríamos muito mais bem compreendidas em nosso ambiente de trabalho.

ESTRESSE ENGORDA

No dia seguinte à discussão, acordei cedo para um encontro com o Atalla. Teríamos um treino de *triatlo*, que alterna três modalidades: natação, corrida e bicicleta.

Eu estava muito inchada. Via isso no espelho, e a aliança (que não tiro nem para dormir) apertava meu dedo a ponto de deixar marcas. Isso era um sinal da retenção de líquidos, que estufava a minha barriga, pesava as pernas e criava bolsas ao redor dos olhos. Enfim, eu estava me sentindo horrorosa.

Fomos até um hotel que tem um espaço apropriado para a prática de todas as modalidades do triatlo. De cara, abri a conversa com o Atalla falando sobre o meu estresse no dia anterior e de como eu havia acordado gorda. Ele confirmou que o estresse engorda, porque libera um hormônio chamado cortisol. E também nos impede de ter uma noite tranquila. Ou seja, eu havia liberado muito cortisol e tinha dormido mal. O que fazer? A resposta do Marcio Atalla, àquela altura, já tinha se tornado um mantra: "O melhor remédio para aplacar o estresse é a atividade física". E lá fomos nós para a bicicleta ergométrica da academia.

Primeira fase do treino de triatlo - mandando o mau humor embora.

APRENDENDO A LIBERAR ENERGIA

Subi naquela bicicleta com enorme vontade de bufar, e efetivamente bufei várias vezes, soltando o ar e emitindo som. Eu havia aprendido a fazer do esforço físico um aliado para liberar a energia negativa que fica presa e pesa na cabeça, na garganta e no corpo todo.

Durante o *Medida Certa*, fui obrigada a prestar mais atenção ao meu corpo e a suas reações. Afinal, foram

noventa dias prestando atenção em mim. Por fora e por dentro. E o start desse processo aconteceu com o pilates.

Falei pouco até agora das minhas aulas de pilates, porque, embora ele fizesse parte da minha rotina pelo menos duas vezes por semana, ou até três, foi pouco mostrado no *Fantástico* por ser uma modalidade mais cara e, portanto, um exemplo que seria aproveitado por menor número de telespectadores.

Durante os sessenta minutos de uma aula de pilates, somos forçados a prestar atenção em nossa respiração e em cada movimento do corpo. E usei muito dessa "técnica", ou dessa "consciência corporal", durante as atividades físicas do *Medida Certa*.

É bom lembrar que, quanto mais você se desligar dos problemas e se concentrar no exercício, nos movimentos, na respiração, na posição da coluna e do abdômen, mais rápido você vai entrar em um estado que considero "meditativo" do exercício. Nesse estado, o foco está em uma única coisa: você e seu corpo. Só assim o exercício ultrapassa a barreira do esforço chato, que tensiona, para o esforço que relaxa e elimina o estresse.

Vejo muita gente em cima da esteira falando ao celular, procurando se distrair para que o tempo do exercício passe rápido. Claro que ouvir música e movimentar o corpo naquele ritmo é estimulante. Uma coisa bem diferente é você aproveitar a hora do exercício para resolver seus problemas pelo telefone. Enfim, use o momento do exercício para mandar embora aquele "peso" que está sobrando no corpo... e na alma!

Depois dos vinte minutos na esteira, corri vinte minutos na areia e completei o treino com vinte minutos nadando na piscina. Ufa! Foi puxado.

Nesse dia, percebi que tenho uma vantagem que não posso desperdiçar: habilidade para vários esportes. Novamente agradeço a meus pais

> "CORRENDO na areia, esteira e *piscina*. *Ufa! Foi puxado*"

por isso. Os olhinhos orgulhosos do sr. Aristeu quando me via nadando na piscina do Rio Preto Automóvel Clube, em São José do Rio Preto, me incentivaram a nadar e a jogar tênis e vôlei. Eu, claro, queria fazer bonito para o meu pai e me esforçava ao máximo.

Tomei banho e fui almoçar ali mesmo no hotel com o Marcio. Saí do vestiário mais alegre, mais leve, e já sorrindo mais facilmente. É tão bom quando a gente consegue sorrir facilmente!

No restaurante, eu tinha um bufê incrível a minha frente e uma fome de leão por dentro. Lancei mão de uma das regrinhas básicas do *Medida Certa* para momentos como esse: como não havia um caldinho quente para começar, abusei dos legumes crus, como a cenoura, para aumentar a saciedade. Saí da mesa satisfeita, bem-humorada e completamente relaxada.

NOVOS DESAFIOS O Atalla continuava procurando atividades que oferecessem estímulos diferentes para o nosso corpo. A outra aventura daquela semana seria fazer uma trilha curta, de 25 minutos, até o alto da Pedra Bonita, um lugar no Rio de Janeiro aonde aventureiros, esportistas e amantes da natureza costumam ir para admirar a vista de 360 graus da cidade maravilhosa.

Eu já sentia meu corpo respondendo muito melhor às atividades físicas, e mais uma vez me surpreendi com a facilidade com que subi aquela montanha. Era como se meu corpo pedisse mais esforço. Nem ofegante eu fiquei. Incrível como eu já estava condicionada e como achei bom sentir isso!

Chegamos ao alto e demos de cara com uma paisagem emocionante. Éramos sete ou oito pessoas, e, depois de um suspiro pelo encantamento inicial, cada um curtiu o momento de seu jeito.

Comecei a refletir sobre as coisas que estava fazendo, e que dificilmente faria se não estivesse nesse projeto. Pensei especialmente em meu filho Rodrigo, de 21 anos, que ama esse tipo de programa. Ele costuma fazer trilhas,

Subindo a trilha da Pedra Bonita no Rio de Janeiro. Antes do *Medida Certa* começar, sentiria muito mais dificuldade. Foi fácil e prazeroso.

e confesso que fico preocupada. Tenho medo de assalto, de violência, de ele passar mal, de se machucar, de se perder – enfim, todas essas preocupações de mãe.

Até então, eu só tinha pensamentos negativos sobre esse tipo de programa. Não conseguia levar em conta o enorme prazer que é caminhar no meio do mato, chegar ao topo de uma montanha e ficar olhando lá de cima a vida passar. É delicioso ver a cidade mergulhada em um silêncio impossível de desfrutar lá embaixo. Eu não podia entender esse prazer sem antes experimentá-lo. E fiquei ali um tempão, pensando nas coisas que trazem felicidade para o Rodrigo e eu não sabia por quê.

O Atalla aproveitou o momento para nos perguntar como estávamos nos sentindo e quais eram nossas expectativas na décima primeira semana. Eu estava alegre e ao mesmo tempo triste por saber que o projeto estava acabando. Estava cansada de tantas gravações, de ter tanta gente por perto a toda hora olhando o que eu iria comer, como iria me exercitar, o que iria falar... mas muito feliz de ver meu corpo mais firme, minha pele mais bonita e minha capacidade de rir das coisas e de mim mesma triplicada!

Mais uma vez, eu me sentia feliz com o condicionamento físico que estava conquistando, porque só com ele era possível subir aquela trilha com fôlego e disposição. É por isso que esse é um programa essencialmente de jovens. Quando encontramos pessoas de mais idade por lá, normalmente são europeus.

Lá em cima da Pedra Bonita tomei uma decisão: "Quero fazer trilhas com essa disposição que tenho hoje até o fim da vida. Porque ter a capacidade de chegar aonde se quer, como o alto dessa montanha, é ter liberdade. Não quero nunca mais perder a liberdade que o condicionamento físico me dá. Aquele papo de que o que importa é ser jovem de cabeça não cola mais na minha vida. É preciso ter DISPOSIÇÃO de jovem. Não se pode ter um corpo jovem no sentido estético para sempre. Mas é possível ter um corpo saudável, que me garanta liberdade e independência. Até na velhice".

Fiz o caminho de volta pensando nisso. Era a penúltima semana do *Medida Certa*, e mais importante do que me sentir mais magra era aquela sensação de me sentir mais jovem.

BEM CUIDADA

Sair nas ruas nessa penúltima semana era completamente diferente de tempos atrás. Eram inúmeros os sorrisos de cumplicidade que outras mulheres trocavam comigo quando nos cruzávamos na rua, e um garçom me surpreendeu com sua atitude. Veja o que aconteceu.

Fui almoçar em um restaurante a quilo no Leblon com o Atalla, e a nutricionista do local nos ofereceu um caldinho de legumes antes de tudo. Eu, claro, adorei, porque é exatamente o que a nutricionista Laura Breves me pede para fazer antes de começar uma refeição, para aplacar a fome e provocar saciedade mais rapidamente.

No dia seguinte, voltei ao mesmo lugar, só que dessa vez com meu marido e um amigo. Pedi o mesmo caldinho ao garçom, e ele me respondeu:"Dona Renata, ontem o caldinho não tinha creme de leite, mas hoje tem, e por isso não vou servir para a senhora, porque creme de leite não pode, né?". Ri muito por dentro e deixei claro para ele que me senti extremamente respeitada. Mas estava me sentindo muito mais que respeitada. Estava me sentindo "cuidada", uma palavra que minha terapeuta sempre usava nas sessões comigo: "Você se sentiu malcuidada?", ela me perguntava."Não permita maus-tratos com você", ela dizia.

Nessa décima primeira semana eu me sentia muito bem cuidada pelo público, que o tempo todo me mandava mensagens de carinho e apoio pelo Twitter, pelo Facebook, por e-mails e pessoalmente. Quanto mais apoio recebia, mais eu me cobrava resultados.

A ansiedade voltou a me perturbar. No final dessa semana, quando estava em casa sozinha, bateu uma enorme vontade de comer um doce. Eu não podia ter uma recaída. Afinal, estava prestes a me pesar. Isso não podia estar acontecendo, mas estava. Uma vontade mais forte do que eu começava a crescer dentro de mim. Eu precisava comer um chocolate... Provavelmente eram os hormônios que provocavam aquele desejo que estava medindo forças comigo.

Eu não deveria ter nenhum bombom por perto. Mas tinha. Em três meses, era a primeira vez que tinha chocolate em casa, culpa de quem me deu uma caixa de bombons de presente naquele momento da minha vida. E deu sorrindo.

"Será que devo me permitir?", pensei. Meu marido não

FICA A DICA
- A hidroginástica tem menos impacto nas articulações.
- Varie entre os diferentes tipos de carne: aves, carne vermelha e peixe.
- Legumes crus estimulam a mastigação e dão saciedade.
- A atividade física reduz o estresse.

poderia ver, nem saber. Ele é rígido com suas dietas e não perdoa exceção. Se soubesse, viria com uma crítica forte para cima de mim. Sem perdão. Eu iria me sentir um lixo, uma fraca. Mas o Atalla vivia dizendo que não devemos nos privar totalmente dos prazeres da comida e que de vez em quando... Pensei, pensei e comi. Comi três bombons.

Depois liguei a câmera que ficava em casa como um SOS, ou seja, quando eu caísse em tentação ou tivesse alguma dificuldade que seria jornalisticamente correto dividir com o telespectador, ela deveria ser ligada. Liguei a câmera e comecei a falar: "Bateu um cansaço! Cheguei em casa e fiz uma coisa que não posso esconder do público, porque estaria sendo desonesta com o projeto. Comi três bombons escondido. Escondido de quem não sei, porque não tem ninguém em casa. Acho que foram os hormônios femininos".

Fim da semana 11 Renata

Semana 11
Atalla

Hidrate o CORPO

O ideal é beber ao menos dois litros de água por dia para manter-se hidratado

Ingerir líquidos é fundamental para manter o bom funcionamento de todo o nosso sistema corporal. Beber água e outros líquidos com frequência é um cuidado que precisa ser constante.

A falta de líquidos acarreta problemas como a tão conhecida desidratação, que pode trazer consequências graves ao metabolismo e causar tonturas, cansaço e até desmaios.

Lembre-se de que o ideal é ingerir ao menos dois litros de água por dia para manter o corpo hidratado. Quando sentimos sede é porque já "estamos devendo", ou seja, estamos com menos líquido que o mínimo necessário.

Além da água, outros líquidos – água de coco, chá, suco de frutas e repositores energéticos – ajudam a restituir a hidratação perdida. É bom evitar o consumo excessivo de álcool e refrigerantes.

Fim da semana 11 Atalla

Semana 12
Zeca

Questões
FILOSÓFICAS

Final de projeto, muitas mudanças, muita informação e experiência... Por isso mesmo, acho que chegou a hora de me perguntar: honestamente, valeu a pena?

Não por acaso, a última semana da nossa "saga" de reprogramação do corpo começou com um daqueles momentos que a gente chama de confessionário: eu, sozinho na varanda da minha casa, perguntando para mim mesmo se as coisas tinham valido a pena. Era mais um domingo em que eu acordava com as mesmas preocupações: "Preciso me mexer direito, preciso me alimentar bem, preciso ter uma vida mais saudável".

Felizes nas alturas...

Desde duas ou três semanas atrás, eu e Renata estávamos bem mais confiantes, mas a segurança de que

havíamos feito tudo certo, de que nossas escolhas haviam sido as mais corretas possíveis, ainda não era total. Os grandes "obstáculos" – a preguiça, o mau humor, o apetite descontrolado – já tinham ficado para trás havia algum tempo. Mesmo assim... eu ainda acordava todos os dias pensando se tinha valido a pena.

Foi nessa reta final, por exemplo, que a Renata teve sua pior recaída: comeu "escondido" três bombons! Um pequeno pecado, como diriam os franceses, mas, no contexto do *Medida Certa*, uma falta grave. Pelo menos foi isso que, tenho certeza, passou pela cabeça dela (mais tarde, também num confessionário, ela admitiria que se arrependeu). Felizmente o Atalla estava lá para nos absolver. "Isso é normal", disse ele. E tinha a ver também com a expectativa dos exames finais.

UMA COISA BOA E UMA RUIM

Acabei concluindo que, quando a cabeça começa a inventar coisas, nada melhor do que um exercício para nos fazer parar de pensar em bobagens. E o que o Atalla me propôs essa semana era realmente uma novidade: ele conseguiu juntar uma coisa que adoro – a piscina – com uma que detesto – a esteira! Isso mesmo: em uma academia em São Paulo, ele descobriu que existe uma esteira ergométrica que funciona dentro d'água.

Segundo o Atalla, essa é uma maneira de trabalhar melhor a perna, porque diminui bastante o impacto da gravidade (suas articulações, especialmente as dos joelhos e dos calcanhares, agradecem) e aumenta a queima de calorias.

Com ou sem esteira, água da piscina é sempre melhor para relaxar...

Dei um voto de confiança a ele – até porque, esse foi o primeiro exercício que vi o Atalla se animar para fazer. Isso já estava virando uma piada entre nós, já que ele nunca fazia nada com a gente. Para dar ordens, ele era mesmo muito bom. Mas, para se mexer, nem que fosse um pouquinho... A gente até comentou: a que horas o Atalla se exercitava? Como nós, ele tinha uma agenda cheia, de consultas e gravações – então, como sobrava uma horinha para a atividade física? Por isso, quando ele se animou a entrar na piscina e encarar a esteira submersa comigo, o clima foi de comemoração.

É um exercício engraçado. A princípio, nem parecia que eu estava fazendo algum esforço – afinal, com metade do corpo submersa, o peso vai praticamente embora, e você se sente correndo mais leve. Mas aos poucos a resistência da água vai pedindo uma energia extra, e quando você menos espera, está exausto – mais cansado até do que se estivesse numa esteira normal (ou numa corrida simples, à qual meu corpo estava mais acostumado).

Logo depois da "esteira submersa", fui para casa preparar uma refeição bem leve: um peixe grelhado (só com um pouquinho de alho, para dar gosto) e uma salada simples. Seria meu último almoço antes de voltar a comer carne vermelha. Será que eu deveria mesmo voltar – ou seria melhor continuar no peixinho para o resto da vida?

MEU REENCONTRO COM A CARNE

No dia seguinte, acordei com a lembrança de uma das mais importantes lições que aprendi com o *Medida Certa* e vou levar adiante para sempre: que a chave de tudo é o equilíbrio. E não só nos exercícios, mas também na alimentação. Parei com a carne vermelha – inicialmente por quinze dias, depois por um mês – porque precisava controlar a quantidade de proteína animal que estava ingerindo. Mas meu corpo também precisa dela, só que na quantidade certa. Assim, o "segredo" era voltar a comer carne vermelha, mas com moderação. Dificilmente, pensei, voltaria a comê-la todos os dias – um hábito que hoje é comum na mesa do brasileiro (e que talvez seja exagerado). Mas duas ou três vezes por semana é bastante razoável – por que não?

Às vésperas de "reencon-

CORREIO ELEGANTE

ALGUMAS MENSAGENS DE TEXTO QUE O ATALLA MANDAVA

- "Acordou dolorido?"
- "Quando você comeu pela última vez?"
- "Se precisar de uma força, me avisa."
- "Só para checar, malhou hoje?"
- "Como está a semana esportiva?"
- "Só mais 36 horas, segura!"

trar" um bom bife, as tais questões filosóficas que o *Medida Certa* provocou em mim estavam agora voltadas para esse item do meu cardápio. Eu ponderava que jamais seria exclusivamente vegetariano – a não ser que algum problema de saúde me obrigasse a isso. Já li muita coisa sobre nossos hábitos carnívoros (um dos livros mais interessantes sobre o assunto, se você se interessar, foi escrito por um jovem autor norte-americano, Jonathan Safran Foer – *Comer animais*, que recomendo fortemente).

Reconheço que a inevitável industrialização de nossa cadeia alimentar obrigou o homem a práticas cruéis com os animais – que é, no mínimo, incômodo admitir que existem. Porém, também tenho consciência das minhas necessidades alimentares e, para não ficar no meio-termo, tomei a decisão de prestar atenção dobrada ao que chega até meu prato – especialmente produtos de origem animal e, em nome da saúde, balancear esse tipo de alimento com o outro lado da balança: alimentos de origem vegetal.

Com esse assunto resolvido, eu já podia voltar para o "meu" filé na brasa. Um mês depois de ter me despedido da carne vermelha em Buenos Aires, ali estava eu, sentado à mesa de um dos meus restaurantes favoritos no Rio de Janeiro – o mesmo braseiro bem popular onde, no início de nossas gravações para o *Medida Certa*, mostrei como andavam os meus (então péssimos) hábitos alimentares. Só que com uma diferença: aquele freguês era outro – não era mais o Zeca que chegava para "traçar" tudo o que via pela frente. Dessa vez eu iria me conter: estava lá para comer um bom bife – sem exageros.

Ao som de Roberto Carlos ("Eu voltei"...), reencontro um filé!

Quando o garçom veio com o espeto cheio de linguicinhas reluzentes, fui forte: "Não, obrigado". Antes de a carne chegar, pedi uma boa salada (tomate, palmito, cebola), para dar uma "forrada" no estômago – e administrar o meu apetite. Nos acompanhamentos, nada de batatas fritas (ainda um inimigo mortal) nem de farofa. Só o arroz com brócolis passava na peneira. Mas o que me interessava mesmo chegou por último: uma apetitosa fatia de filé, que, só de ver, já me deu tremedeira! É muito

Nada melhor que um exercício *para nos* fazer parar *de pensar bobagens"*

bom, não posso negar – e foi uma delícia voltar a sentir aquele gosto (o editor da série, Rafael, fez uma de minhas gracinhas favoritas de todo o quadro, sonorizando esse "momento lindo" com o clássico de Roberto Carlos, O portão, que traz o famoso refrão "Eu voltei"!). E foi justamente esse prazer tão grande que me fortaleceu no propósito de não voltar a comer carne todos os dias.

Quando até a carne vermelha se torna rotina, você deixa de aproveitar o sabor – e o que deveria ser uma coisa especial vira algo corriqueiro, que você até se esquece de aproveitar. (Percebi que a mesma coisa que acontece com o *Medida Certa* acontece com um bom vinho: quando você toma todos os dias, deixa de apreciar o sabor único que a bebida tem, especialmente acompanhando uma refeição – então, é melhor curtir com moderação, para poder aproveitar ainda mais).

TRILHA "SUADA" Assim, em paz com o meu estômago – e quase em paz com o meu corpo –, fui fazer uma caminhada diferente com o Atalla e a Renata. Incansável na missão de nos surpreender – e surpreender o nosso corpo com atividades diferentes –, ele planejou uma trilha para nós.

No fim de uma tarde fresca no Rio, lá estávamos nós nos preparando para subir a Pedra Bonita. A princípio, não pareceu uma trilha muito puxada – mas talvez fosse porque já estávamos com bom condicionamento. Mas, à medida que fomos subindo, o caminho foi ficando mais difícil (e eu já começava a pensar se a digestão da carne vermelha – algo a que o meu organismo não estava mais acostumado – tinha a ver com isso; parece que não). As pernas começavam a ficar mais pesadas e o caminho parecia não ter fim! Até que, de repente, surge aquela visão: a mata se abre e você está no topo da Pedra Bonita, com uma imagem do Rio de Janeiro que nenhum cartão-postal é capaz de reproduzir.

Era uma vista estonteante – um lugar que acabou se mostrando perfeito para as minhas considerações filosóficas. Deixei clara a minha ansiedade com os exames. Renata estava um pouco mais confiante. Atalla dizia que acreditava bastante em nós e nos resultados positivos. No geral, a "vibração" era boa.

Eu sabia que não queria voltar atrás, aos hábitos (de exercício e alimentação) anteriores ao *Medida Certa*. As coisas tinham realmente mudado. Mas nem toda essa "onda positiva" e a paisagem deslumbrante a nossa volta me deixavam esquecer os exames que estávamos por fazer.

Entre tantos momentos estranhos que vivemos nesses três meses, talvez o mais esquisito tenha sido ter de subir na balança de costas. Noventa dias haviam se passado desde o início do *Medida Certa* – e achei que já tinha passado por tudo. Achei inclusive que já tinha driblado toda a ansiedade que poderia me atacar. Mas aí, em nossa terceira visita ao consultório da nutricionista Laura Breves, a Marcela – que é nossa produtora – veio com o seguinte recado: teríamos de subir na balança de costas, para não saber naquela hora qual era o nosso peso. Saber as novas medidas da circunferência abdominal, então, nem pensar. A ideia, claro, era manter o suspense, para que eu e a Renata só soubéssemos do resultado ao vivo, na noite de domingo, no *Fant*.

Eu estava louco para saber as novas medidas – não vou esconder. Ter que esperar mais alguns dias parecia, a princípio, um exercício de tortura. Renata também estava ansiosa, mas, no final, acabamos controlando a nossa expectativa e topamos sair de lá sem saber nada. Resolvi viver aqueles últimos dias de *Medida Certa* como se não existisse uma grande revelação lá no final. E que últimos dias!

Eu estava me sentindo realmente bem, tanto que, mesmo antes de meu último encontro com o Atalla (antes do resultado final no estúdio, ao vivo), criei coragem e me adiantei no desafio final. Para você lembrar, o compromisso da Renata no final do projeto era subir até a estátua do Cristo Redentor, no Corcovado, de bicicleta. E o meu era dar uma volta completa na lagoa Rodrigo de Freitas – todos os seus 7,5 km – correndo. Tínhamos combinado fazer isso no nonagésimo dia de reprogramação, como uma espécie de celebração por todo o nosso esforço.

Alguns dias antes do prazo marcado, eu estava lá na lagoa – que se tornou, digamos, meu segundo lar –, determinado a fazer o meu circuito de sempre: correr 4 km, andar 2 km e dar um "tirinho" de 1,5 km para completar. Mas, quando cheguei mais ou menos ao ponto em que costumava parar de correr e começava a andar, caiu uma chuvinha leve que me animou.

Eu não estava nem um pouco cansado, e muito menos com aquela sensação de desconforto que o calor sempre traz. Então, fui em frente. Pensei: "Será que não consigo completar a volta?". E não é que consegui?

Cheguei em casa eufórico – mas não havia, claro, ninguém para comemorar comigo. Peguei a câmera e fiz outra confissão: registrei ali meu feito "histórico" e resolvi guardar esse segredo para o momento em que finalmente o Atalla viesse me cobrar o desafio. Ele ia ter uma surpresa.

Mas, até lá, ainda tinha o desafio dos exames.

Uma bela trilha para chegar até a vista da Pedra Bonita.

Ensaio no estúdio do *Fantástico* para o episódio final em que as novas medidas seriam reveladas.

RAPIDEZ NA ESCADA DO AEROPORTO

Com a equipe do *Fantástico*, fizemos uma brincadeira com aquele primeiro dia em que as câmeras começaram a me acompanhar. Repetimos exatamente a mesma rotina, para ver como os hábitos haviam mudado. E as diferenças começaram a aparecer no café da manhã. Aqueles sanduíches recheados de frios, pão branco com muito (muito!) requeijão, vitaminas – isso já era. Frutas agora são prioridade, o pão é sempre escuro, e iogurte com cereais está permanentemente à mesa.

Com energia na quantidade certa, encarar o resto do dia ficou fácil: se antes, por exemplo, eu subia com certo esforço um lance de escada no saguão do aeroporto de Congonhas, em São Paulo (por onde passo com enorme frequência), agora era só um aperitivo para os exercícios do dia. Viagens, reuniões, gravações – ficou tudo mais fácil mesmo. Sem falar que boa parte dessa disposição tinha a ver com a boa noite de sono que eu finalmente havia começado a desfrutar.

Sim, as coisas estavam diferentes – e diferentes para melhor. Eu andava tão entusiasmado, tão eufórico, que até brincava com meus amigos que parecia um livro de autoajuda ambulante – sério! Mais de uma vez eu me pegava fazendo pequenos discursos do tipo: "A coisa mais importante que aprendi foi a parcelar as refeições"; ou "A preguiça é natural nas primeiras semanas, mas depois você supera isso"; ou, ainda, "Agora, em vez de ficar em casa de bobeira, sem fazer nada, levando e saio para correr". Como essas frases vinham de maneira tão natural, comecei a achar que estava passando um pouco da conta em meu entusiasmo. Mas o projeto estava chegando ao fim – e com bons resultados! Então, eu queria viver esse clima. (Acho que todo mundo que já perdeu alguns quilos sabe de que sentimento estou falando.)

Tudo que eu fazia era mais fácil e mais prazeroso. A corrida, então... Era o mais divertido. Sobretudo porque, quando finalmente chegou a hora do teste final – a volta

completa na lagoa –, peguei todo mundo de surpresa. Quando contei que já havia feito todo o circuito correndo, os olhares foram desconfiados. Queriam conferir – agora com uma câmera "oficial" me acompanhando.

UM COLETE DESCONFORTÁVEL
Mas, tentando inverter o jogo, o Atalla tinha uma "surpresinha" para mim: um colete de "gordura". Ele preparou um colete ao qual havia sido aplicada uma quantidade de resina equivalente ao peso que ele calculava que eu havia perdido (como ele me disse depois, seu cálculo havia sido conservador). Ele não quis me dizer que peso aquilo tinha, mas eu mesmo, que nunca soube avaliar essas coisas, achei que a tal "peça" pesava seis ou sete quilos – o que já era assustador. Quando a vesti, fiquei chocado: como eu conseguia me mexer carregando aquilo tudo? Fiquei perplexo!

Assim como aconteceu com aquela outra peça de gordura que ele nos apresentou no meio do projeto, a ideia de que "aquilo" tinha saído de mim era horrível. Como eu conseguira "conviver" com aquilo? Como pude ir ganhando aquela gordura aos poucos, sem me dar conta de que estava ficando tão pesado? Aqueles quilos a mais eram uma clara agressão ao meu corpo, que eu fora aceitando aos poucos, sem muita resistência. Mas, sentindo aquilo nas costas (literalmente), ficava ainda mais fácil tomar a decisão de não voltar atrás, de não "recuperar" aqueles quilos, de manter as novas medidas para o resto da vida (e, se possível, trabalhar um pouquinho mais para reduzi-las).

Na reta final, a tentação do chocolate... Mas foi só de brincadeira!

Vestido com o colete, até uma corridinha de cem metros parecia um sacrifício – um sacrifício que eu mesmo havia me imposto nos últimos anos. Não, não quero mais. Devolvi o colete ao Atalla e saí para dar minha volta "triunfal" na lagoa, cantando a música que mais me acompanhou durante essa temporada: *Como un pollo degollado*, de um trio genial chamado Alvy, Nacho y Rubin.

Menos de uma hora depois, era recebido pelo Atalla – e pelo restante da equipe – com aplausos entusiasmados! Renata havia chegado ao Corcovado, e eu tinha feito a minha volta. Agora só faltava conferir se esses bons resultados que havíamos conseguido "por fora" seriam confirmados pelo que estava acontecendo "dentro" de nosso corpo.

Para isso, era necessário fazer mais um exame de sangue, que encarei com a mesma "coragem" de antes – se o *Medida Certa* não conseguiu mudar alguma coisa em mim, foi meu medo de agulha. Mesmo sabendo que dessa vez os resultados poderiam ser mais animadores, eu não conseguia encarar aquele momento com tranquilidade. O que foi, como da primeira vez, um prato cheio para a Renata "me alugar".

O MÉDICO, OUTRA VEZ

Saber que teria de encarar o dr. Alexandre de novo só contribuía para um certo clima desconfortável, que contrastava com o meu estado de alegria geral. Mesmo entendendo que o nosso último encontro havia sido desagradável única e exclusivamente por culpa minha – afinal, as notícias que recebi dele vinham de meu próprio sangue – e esperançoso de que dessa vez fosse diferente, eu não queria voltar lá.

Afinal, o que ele tinha a me dizer era muito positivo! Já no teste de esforço físico, seu rosto transmitia certa satisfação: eu estava com uma resistência bem melhor, e o meu nível de cansaço era outro – não mais o de uma pessoa de 68 anos, como ele havia detectado na primeira vez, mas de alguém até mais jovem que eu. Boa! E, ao ler os resultados de meus novos exames, o dr. Alexandre veio com notícias ainda melhores.

Para o episódio final, gravamos uma nova vinheta, com uma nova silhueta, em clima de diversão.

Dos seis fatores de risco para o coração que eu apresentava antes da reprogramação corporal, eu havia conseguido controlar quatro: o colesterol (que havia caído drasticamente), o nível de açúcar no sangue, a própria obesidade (eu já havia saído dessa categoria) e o sedentarismo. Os outros dois, como ele frisou bem, eu não poderia mudar: justamente a minha idade e os fatores hereditários (meu pai, um irmão dele e um tio materno não resistiram a problemas cardíacos). Por isso mesmo, eu teria que continuar atento ao meu coração. Mas, no total, já estava muito bom.

Enquanto o dr. Alexandre falava, Atalla ficou no canto da sala, olhando com aquela cara de "pai orgulhoso". Renata, então, estava exultante – ainda mais depois de o médico dizer que ela estava com uma vitalidade de uma mulher de trinta anos. Só por aí já teríamos nos dado por satisfeitos, mas faltavam as medidas finais – aquelas que nós, e o público todo, estávamos esperando. E, para isso, precisávamos passar mais uma vez pelo consultório da dra. Laura.

Lá, porém, os resultados não seriam divulgados. Como havíamos combinado, subiríamos na balança de costas e não olharíamos para baixo quando ela passasse a fita métrica em nossa nova circunferência abdominal. Laura, que é muito divertida, comprou a brincadeira e manteve o suspense. E saímos de lá disfarçando a nossa ansiedade, para ter o prazer de saber os resultados junto com o público.

E NÃO É QUE CHEGUEI AOS CINCO FUROS?

No domingo... Bem, você deve ter visto: foi aquela explosão! E não poderia ser diferente. Nada menos que doze quilos de gordura haviam saído de meu corpo. Doze quilos! Com os exercícios, acabei ganhando cinco quilos de massa muscular – uma consequência que já era esperada pelo Atalla, claro. O que dava um total de sete quilos perdidos em três meses. Eu não estava me sentindo melhor assim à toa. (Os números "oficiais" são os seguintes: eu pesava 111,4 kg e passei a 104 kg; perdi 12,29 kg de gordura e ganhei 4,9 kg de massa muscular.)

Comemorei bastante, esquecendo totalmente que estávamos numa transmissão ao vivo (revendo as imagens depois, ficou claro que eu tinha desencanado totalmente das câmeras). Mas a maior comemoração viria com a notícia seguinte: minha cintura tinha passado de 110,3 cm a 99

A FORÇA

BOAS LEMBRANÇAS DO APOIO POPULAR

- Um ônibus de estudantes gritando "corre Zeca" em plena Lagoa
- A caixa do supermercado que pergunta: "Vai levar requeijão seu Zeca?"
- O ciclista que passou por mim e disse: "Você é a inspiração dos gordinhos".
- Um bilhete que eu recebi de duas irmãs num restaurante (na foto ao lado)

cm!! Lembrando a brincadeira da Laura na minha primeira consulta, isso equivalia a cinco furos no cinto! Eu havia superado todas as expectativas. Eu queria dividir isso com o Brasil inteiro – e foi exatamente isso que eu fiz. E como!

Alguns meses se passaram desde o final do *Medida Certa* e a conclusão deste livro. Revisitar todo o processo foi um prazer quase dobrado – pela certeza de que foi uma conquista muito suada e recheada de pequenas vitórias, algumas decepções e grandes descobertas (sobre mim mesmo). E reler tudo depois só confirma que cada momento, e mesmo cada dificuldade, valeu muito a pena. Não tenho a menor dúvida disso.

Antes de me congratular demais – e cair na armadilha fácil da autobajulação –, eu queria lembrar uma coisa, que já disse no começo do livro, mas que agora, com tudo o que eu e Renata vivemos, faço questão de reforçar. Essas "glórias pessoais" talvez acabem chamando mais atenção – sobretudo nessa narrativa. Mas o que me deixa mais feliz é ver que o *Medida Certa* significou uma mudança radical no meu estilo de vida e no de milhões de brasileiros que nos acompanharam, que, assim como nós, tomaram uma atitude positiva para viver em paz com o seu corpo.

Essa enorme satisfação, balança nenhuma consegue registrar – muito menos uma fita métrica.

Brincando com a fita métrica numa sessão de fotos para o jornal *O Globo*.

Fim do *Medida Certa* Zeca

Semana 12

Renata

Emoção sem LIMITE

Quando cheguei lá no alto
do Corcovado, depois de duas horas
pedalando, e vi os olhos de
meu marido brilhando de orgulho,
pulei de alegria

Acordei apreensiva. Os pensamentos iam e vinham rapidamente sem obedecer ao meu comando. "Como será minha vida depois dessa semana? Vou conseguir continuar com os exercícios? Com a alimentação saudável? Vou manter a ansiedade sob controle? E a compulsão por doces, ficará adormecida para sempre? Vou dar conta de manter a atividade física diária em minha rotina? Nunca mais voltarei a devorar um prato em três minutos? Será que mudei mesmo? Meu metabolismo mudou? Consegui realmente reprogramar o meu corpo?"

Naquele momento, as pessoas que me viam pessoalmente me achavam mais magra do que eu estava de verdade, e quem só me via pela TV não percebia quanto eu havia emagrecido. Afinal, como estava meu corpo?

Pode parecer estranho, mas tanto eu quanto o Zeca estávamos per-

didos, sem noção exata da imagem que estávamos passando. E a prova disso veio quando tivemos que vestir aquela roupinha (ridícula!) de ginástica para regravar a vinheta de abertura do *Medida Certa*.

REGRAVAMOS A VINHETA
Você pode imaginar o que é atravessar os corredores da Globo de malha de ginástica colada no corpo? Já havíamos feito isso para a gravação da vinheta do *Medida Certa* antes da estreia do quadro. Agora teríamos que gravar novamente a mesma coisa, mas com a nova silhueta. A ideia era mostrar um "antes e depois".

Será que a diferença seria suficiente para isso?, eu me perguntava. O Zeca achava que sim, tanto que a ideia foi dele. Arghhh! Que ideia, hein, Zeca? Tenho que confessar, meses depois, que fiquei louca da vida com você...

Enfim, aproveitei a oportunidade e saí perguntando para colegas da redação e do departamento de arte, que reeditariam a vinheta, se achavam que haveria uma diferença considerável entre nossa imagem atual e a de três meses antes. Algumas pessoas respondiam que sim, outras que não — ou seja, não éramos só nós que estávamos sem a exata noção de nossa imagem. A única conclusão a que cheguei é que, da mesma forma que o bonito para um pode ser feio para outro, quando não se trata de um caso grave de obesidade o que é gordo para um pode ser apenas cheinho ou perfeito para outro.

Posando para a nova vinheta do quadro. Mais magra, mais saudável e mais segura em relação ao meu corpo.

Ou todos mentiram ao responder à minha pergunta. Sei lá. O fato é que, ao entrarmos no estúdio com aquela roupinha justa, fomos aplaudidos. Sim, já era possível fazer a brincadeira do "antes e depois".

A HORA H
Chegara a hora da verdade. Nova pesagem e novos exames de sangue seriam feitos e comparados com os dados de nossa saúde obtidos noventa dias antes. Gustavo, meu marido, foi muito importante nesse momento. Vendo minha aflição, ele me confortou: "Não têm sentido essas preocupações! Você já venceu esse de-

"Desafio FINAL: chegar pedalando até o Cristo Redentor"

safio. Não duvide disso!", ele disse. "Se suas expectativas, ou as do público, em relação ao seu peso forem maiores que o resultado alcançado, é só uma questão de tempo. Você já conseguiu emagrecer, já provou que deu certo, agora é só manter o mesmo ritmo. O *Medida Certa* vai acabar, mas as pessoas vão continuar vendo você no ar, cada vez mais magra."

Tão óbvio, não é mesmo? Deixei qualquer pensamento negativo de lado. Meu foco agora teria que ser a gravação do desafio final: chegar pedalando até a estátua do Cristo Redentor.

VONTADE? NÃO MUITA
Alguns meses antes do início do *Medida Certa*, eu estava fazendo dieta com o dr. Guilherme Azevedo, o endocrinologista que ficou famoso com a "Dieta nota 10", que se baseava na contagem de pontos, ou seja, na restrição calórica.

A dieta funcionava para todas as pessoas que eu conhecia, e eram muitas! Mas tinha resultados muito modestos para mim. Eu simplesmente desistia no meio do caminho por causa daquela velha história de achar que estava fazendo muito sacrifício para pouco resultado, o eterno erro de buscar um emagrecimento rápido.

Mas certa vez o dr. Guilherme me disse uma coisa que, agora mais do que nunca, faz muito sentido. Ele disse que eu não tinha muita vontade, nem necessidade, de emagrecer. Que precisava ter uma meta, um desafio. E que era por isso que eu não me esforçava o suficiente para perder peso.

Claro que não concordei com ele na época. Afinal, existe necessidade maior do que a de uma profissional que aparece no vídeo e por isso é cobrada pelo público por sua aparência o tempo todo?! Mas ele não aceitou a minha resposta. Disse que eu valorizava mais o meu lado intelectual do que a estética. Será?

Agora, eu concordava que precisava de um desafio. O Júnior, um professor de educação física, o mesmo que me deu as primeiras aulas de bicicleta na Vista Chinesa, já havia me proposto participar de algumas provas de corrida para ter um desafio, uma meta a alcançar. Mas só com o *Medida Certa* tive "coragem" de encarar um desafio esportivo. E tinha que ser de bicicleta.

CHEGOU O DIA Três meses antes, meu condicionamento físico me permitia pedalar, no máximo, três quilômetros pelas ladeiras da estrada do Parque Nacional da Tijuca, um dos caminhos que nos levam ao Cristo Redentor. E eu completava o trajeto sem conseguir falar, de tão ofegante.

Agora, ali estava eu, pronta para pedalar 22,5 quilômetros, a maior parte deles de subidas, muitas delas bem íngremes, com inclinação de até quinze graus!

Eu estava um pouco nervosa, mas com uma vontade enorme de mostrar o que já era capaz de fazer. No dia anterior, havia comido um prato de macarrão com molho vermelho, dica da nutricionista Laura Breves. Precisaria desse carboidrato para me dar energia na manhã seguinte. Além disso, havia levado minha bike para um check-up com o mecânico Genésio, na loja ao lado de casa, onde foram feitos vários ajustes. Ele pensava em todos os detalhes que me dariam conforto e evitariam possíveis dores no pescoço, nos ombros, nas costas e na lombar. Afinal, o percurso seria longo.

Acordei cedo. A temperatura estava abaixo dos dezoito graus, frio para quem vive no Rio de Janeiro. Saí pedalando sem pressa de chegar. O objetivo não era chegar rápido. Era chegar! Estavam previstas duas paradas para me hidratar e me alimentar.

Em atividades físicas que levam mais de uma hora, a recomendação é tomar água na primeira hora e, a partir de então, se hidratar a cada vinte ou trinta minutos, alternando água e isotônico. Quanto à alimentação, depois de uma hora de atividade, deve-se comer uma fruta, beber um suco, ingerir um carboidrato em gel ou, ainda, comer uma barra de proteína. E repetir isso a cada quarenta minutos.

A dura preparação.

O Marcio Atalla e a Marcela Amódio seguiram de carro à minha frente para me dar esse tipo de apoio. Eu estava me sentindo "a atleta". Pedalei os 22,5 quilômetros no mesmo ritmo, seguindo as "regras" do *Medida Certa*, como fizera durante os três meses: devagar e sempre.

Quando sentia meu coração acelerado demais, não esperava a exaustão chegar. Diminuía o ritmo da pedalada e, calmamente, esperava a frequência cardíaca baixar. Tinha aprendido a ter paciência para esperar meu corpo responder a um estímulo. Descansar sem parar de pedalar tornava possível retomar a velocidade da bicicleta como se estivesse no início da pedalada.

Os últimos quatro quilômetros foram os piores. Parecia que eu não chegaria nunca! São subidas muito fortes e, ainda por cima, cheias de curvas. Quando você acha que está chegando... lá vem mais uma curva.

Duas horas depois, finalmente, consegui chegar ao alto do Corcovado, com a estátua do Cristo de costas para mim. Eu queria chegar a um ponto onde pudesse vê-lo de frente. Para isso, tive de carregar minha bicicleta de dez quilos no ombro e subir 220 degraus, o equivalente a um prédio de sete andares.

As pessoas, a maioria turistas, brasileiros e estrangeiros, vendo a movimentação das câmeras, torceram muito por mim nos quilômetros finais. Era possível ver lá do alto o meu esforço final em cima da bicicleta, enfrentando o pior trecho de toda a trilha. As pessoas subiram comigo os degraus, me cumprimentando e festejando como se eu estivesse vencendo uma Olimpíada. Foi muito engraçado e ao mesmo tempo emocionante. Quando cheguei à frente do Cristo, pulei de alegria, levantando a minha bicicleta para o alto.

O Gustavo, muito parceiro, muito querido, acompanhou todo o percurso, ao lado de um grande amigo nosso, o Murilo Pinto. Ele gravava

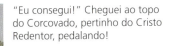

"Eu consegui!" Cheguei ao topo do Corcovado, pertinho do Cristo Redentor, pedalando!

com a sua câmera fotográfica e sorria o tempo todo para mim. Nunca vou me esquecer de seus olhos brilhando de orgulho. Eu estava feliz pelo desafio, pela festa que o público fazia, por ter dado tudo certo e, também, confesso, pela carinha do Gustavo curtindo aquele momento comigo. Seu olhar fez eu me sentir muito amada. Por isso, esse foi um capítulo à parte na nossa história de amor.

UAU, REJUVENESCI!

Chegou a hora de encarar os exames de sangue e a balança novamente. O primeiro resultado a ser comparado seria o dos exames laboratoriais. O Zeca estava tenso. Eu, não. Como meus exames já estavam dentro da normalidade três meses antes, eu não esperava nenhuma surpresa no consultório do cardiologista. Mesmo assim ouvi uma frase que fez diferença! O dr. Alexandre me disse: "Pelo resultado de seu teste de esforço, antes sua capacidade física era a de uma mulher de 68 anos. Hoje, você está com uma capacidade física de trinta anos".

Tensão e suspense no dia da pesagem final na nutricionista.

Gostei! Adorei! E comemorei muito! "Então", pensei, "aquela sensação boa e prazerosa que eu tinha toda vez que conseguia subir um pouco mais com a minha bicicleta, até a Vista Chinesa e depois até o Cristo, era de saúde, de rejuvenescimento?" Que delícia, eu realmente estava muito mais disposta, ou seja, mais jovem.

Foi com essa alegria que segui para o consultório da nutricionista Laura Breves. Finalmente, chegara a hora de eu saber quanto havia perdido na balança e nas medidas. Depois, seguiria minha vida traçando novos objetivos. A essa altura eu estava torcendo para acabar logo com esse suspense e, claro, com a expectativa das pessoas sobre nós. Os resultados seriam aqueles que eu havia conquistado e ponto.

Subi na balança com a certeza de que tinha feito tudo o que me fora recomendado e que estava ao meu alcance. O Atalla parecia feliz. Sempre me dirigia palavras carinhosas. Se ele, que era o idealizador do programa, estava feliz, por que eu não estaria?

Mas minha felicidade durou pouco. Ainda não seria

daquela vez que eu saberia o meu peso e as minhas novas medidas. Meu diretor, Luiz Nascimento, em mais um ímpeto de criatividade, teve a ideia genial de fazer o público saber os resultados com a gente, ou seja, eles seriam divulgados AO VIVO!

Isso acrescentaria uma dose de "suspense", que funciona bem em televisão e também daria maior credibilidade, já que as pessoas veriam a nossa reação ali, na hora! Como nem eu nem o Zeca somos atores, não saberíamos disfarçar a nossa alegria ou a nossa tristeza. Ao vivo, os sentimentos ficam muito transparentes.

Peso inicial: 80,3 kg
Peso final: 74,4 kg
(Eu havia perdido 9,5 kg de gordura e ganhado 3,6 kg de massa muscular.)

Circunferência abdominal inicial: 96,5 cm

Circunferência abdominal final: 82,7 cm.
(Perdi praticamente 14 cm de cintura!)

Fui apresentada novamente ao meu corpo. E ficamos amigos para sempre.

Enfim, seria muito legal para o público, mas, em um primeiro momento, me causou certo desconforto.

E se eu não gostasse do resultado? E se tivesse vontade de chorar? De alegria ou de desgosto... sei lá.

Além disso, eu tinha outras preocupações. Ali, ao vivo, todos estariam olhando para o meu corpo. Eu teria que usar uma roupa que mostrasse minhas novas formas, mas ainda não me sentia segura para usar um vestido mais justo.

Mas isso foi só no primeiro momento. Aproveitei o que aprendi na convivência com o Zeca. Ele me ensinou que é importante a gente se recompensar. Então, resolvi me dar um presente. Fui a uma loja onde encontraria um vestido bonito que me deixaria com um corpo maravilhoso. Era um vestido que eu já "namorava".

Eu estava curtindo aquele momento de pode usar um novo manequim. Não tinha mais que comprar uma roupa que disfarçasse as imperfeições que a gordura traz. Podia valorizar minhas novas formas. Eu não era mais quadrada. Eu tinha cintura!

Mas só fiquei contente mesmo quando me vi no vídeo momentos antes de entrar no ar para receber o resultado final. Achei que estava bem.

E estava pronta para o resultado. Afinal, os números que apareceriam ali não mudariam a minha sensação interna de vitória. Eu já me sentia vencedora pelo condicionamento físico que havia alcançado. Ouviria aqueles números com a certeza de que o *Medida Certa* não acabava ali. Ao contrário, aqueles três meses marcavam o começo de uma nova história.

CAMINHADAS DO BEM

Tão grande quanto a satisfação pessoal de ter ganhado saúde e ter vencido o desafio proposto foi a alegria de ver a ideia que propus ao programa ser aceita, crescer e se transformar em um grande sucesso nacional. Sugeri que, no último episódio do *Medida Certa*, convidássemos o público para uma caminhada que aconteceria ao mesmo tempo em todas as capitais. As câmeras poderiam registrar isso para o *Fantástico*.

Multidões aceitaram o convite e compareceram nas caminhadas *Medida Certa* que aconteceram em 11 capitais. Foi a consagração do quadro.

A ideia foi tão bem recebida que se transformou em onze caminhadas em cinco fins de semana de julho, quando eu e o Zeca estivemos presentes, caminhando e incentivando as pessoas a colocar a atividade física em sua vida. Com o apoio do Sesi, 54 mil pessoas caminharam conosco de norte a sul do país.

Foi durante as caminhadas que sentimos, de fato, quanto os brasileiros estavam querendo uma oportunidade para, como eu e o Zeca, melhorar sua qualidade de vida com a adoção de hábitos saudáveis.

O *Medida Certa* mudou para sempre a minha vida. Tenho certeza de que vou envelhecer melhor e de que ganhei vários anos de vida. Mas se isso tivesse acontecido só comigo, não teria tanto valor. Boa parte dos brasileiros parou para pensar na saúde enquanto estivemos no ar. Boa parte aderiu para sempre aos princípios dessa reprogramação do corpo. O *Medida Certa* cumpriu com louvor o objetivo de prestar um serviço à população. Por isso, considero essa a minha principal reportagem em 26 anos de carreira, a reportagem que ensinou a mim e a muitas pessoas a ser mais felizes.

Fim do *Medida Certa* Renata

A cada caminhada, vendo a adesão do público, aumentava ainda mais meu compromisso com ele. Foi um dos momentos mais emocionantes da minha carreira.

Semana 12
Atalla

Corpo em forma, menos
DEPRESSÃO

Além de combater a depressão,
o exercício físico aumenta a
autoestima e dá saúde e bem-estar

A prática de exercícios é uma maneira natural e saudável de prevenir e combater a depressão. Correr, pedalar ou fazer qualquer outra atividade regular melhora também a ansiedade.

Isso acontece porque os exercícios aeróbicos fazem o organismo produzir um coquetel bioquímico, que inclui neurotransmissores (necessários para a comunicação entre as células do sistema nervoso), como a endorfina, sempre associada às sensações de bem-estar e euforia.

Quando praticado regularmente, o exercício cria boa dependência, e sua falta elimina a produção da substância que dá a sensação de prazer. A atividade aeróbica regular reduz a ansiedade, e uma caminhada rápida de vinte a trinta minutos é excelente para diminuir o estresse.

Os efeitos benéficos podem ser sentidos entre três e quatro semanas depois de iniciada a atividade física. Nesse tempo, o indivíduo perce-

be melhora da autoestima e aumento da disposição física. Fica mais bem humorado e sente mais vontade de se exercitar.

Doenças do coração e depressão devem ser o grande mal dos próximos dez anos. A conclusão é da Organização Mundial da Saúde. Baixa autoestima, tristeza e desesperança acompanham essa doença. Mas, segundo a OMS, os exercícios físicos melhoram e podem até curar a depressão.

A produção de endorfina provocada pelos exercícios seria uma das explicações. A atividade física desencadeia uma secreção de endorfina capaz de produzir um estado de euforia natural, que alivia o estado da depressão.

Os exercícios também regulam a neurotransmissão da noradrenalina e da serotonina, que aliviam os sintomas da doença. Além disso, uma boa condição física aumenta a autoestima e dá saúde e bem-estar.

Fim do *Medida Certa* Atalla

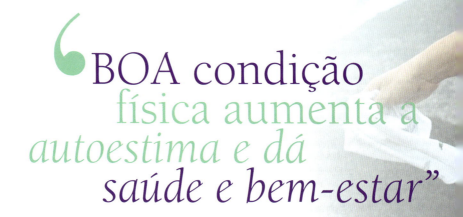

"BOA condição *física aumenta a autoestima e dá saúde e bem-estar*"

Fãs de CAMINHADAS

Insuflamos, pela tevê, o gosto de andar por aí e o resultado é que quem nos acompanhou, emagreceu. Fica aqui o nosso agradecimento por seguirem os nossos passos

Toda a alegria da conquista dos noventa dias do *Medida Certa* se multiplicou mil vezes quando, logo depois do encerramento da série na TV, começamos a fazer as caminhadas em várias capitais do Brasil. A ideia, sugerida pela Renata, tomou força com a popularidade do quadro, e logo pedimos ajuda ao Sesi, que, com a sua experiência em organizar eventos desse tipo, nos ajudou na logística e no instrumental – para que fosse possível fazer as caminhadas e também a medição (peso, cintura, índice de massa corporal) de boa parte das pessoas que participou delas.

Mas o sucesso só seria possível com a participação massiva das pessoas – e elas foram às ruas com o mesmo entusiasmo que acompanharam cada episódio do *Medida Certa*. Renata e eu nos dividimos entre as cidades que entraram nessa primeira fase (as caminhadas continuam pelo Brasil), e fomos somando cada vez mais pessoas. Começamos com "modestas" três mil, mas logo já contávamos com cinco mil, seis mil – ou até, como no caso de Vitória (ES), doze mil pessoas (esse recorde é da Renata!).

Mais que os números, o que marcou as caminhadas foi o entusiasmo das pessoas. Como imaginamos no começo da série, o *Medida Certa* serviu para dar o exemplo. Era um prazer ver como as pessoas vinham até nós para dizer que haviam seguido o exemplo e mudado o seu estilo de vida. "Perdi dois quilos já." "Perdi onze quilos." "Perdi 22." Era isso que mais ouvíamos.

Apesar de sairmos exaustos dessas empreitadas, e sabermos que havíamos, de alguma maneira, mudado positivamente o estilo de vida daquela gente, tínhamos uma gostosa sensação que nos preenchia mais que uma simples "missão cumprida". Era como se tivéssemos, de fato, aberto a porta para uma ótima mudança de hábito. Estas páginas são uma forma de agradecer a todo mundo que nos seguiu nas caminhadas. E às pessoas que ainda vão nos seguir.

AGRADECIMENTOS

Agradeço a nossa produtora e anjo da guarda Marcela Amodio, que de tão parceira até emagreceu com a gente. E pela enorme amizade que surgiu dessa convivência. Ao Rafael Carregal, editor e em alguns momentos psicólogo, ao Filippi Nahar, editor de imagem, apesar dos chocolates que comia na minha frente, a toda equipe técnica - Wellington Valsechi, cinegrafista; Leonardo Camaz, técnico; Bruno Assunção, operador de audio – pelo carinho conosco, e ao Marcio Atalla, pela paciência e pelas dezenas de mensagens de texto que enviava por dia, lembrando a hora de comer e de malhar. Eu reclamava, mas confesso que, no fundo, adorava!

Agradeço ao coordenador de projetos especiais do *Fantástico*, Frederico Neves, pela segurança que me passou para eu que me sentisse à vontade e fosse espontânea durante o reality, e não uma "personagem".

Um agradecimento especial ao nosso diretor, Luiz Nascimento, que transformou não só a nossa vida, mas a de milhares de brasileiros que incorporaram o estilo *Medida Certa* em suas rotinas.

Marcela Amodio, produtora, e Rafael Carregal, editor.

AGRADECIMENTO PESSOAL Agradeço aos meus filhos, Marcela e Rodrigo, pelo carinho com que me apoiaram e torceram por mim.

À Célia, minha cozinheira, pela ajuda fundamental em minha mudança de hábito alimentar.

E, especialmente, ao meu maior incentivador neste projeto, meu marido, Gustavo, parceiro no amor e na saúde!

Bruno Assunção, Leonardo Camaz, Zeca Camargo, Renata Ceribelli, Marcio Atalla, Marcela Amodio, Wellington Valsechi.

Estou tentado a agradecer, antes de tudo, ao bando de estudantes dentro de um ônibus que, logo na primeira semana em que o projeto foi ao ar, enquanto eu ainda engatinhava no meu treino de corrida na lagoa Rodrigo de Freitas, passou por mim e gritou: "Corre Zeca!". Mas não deu tempo de pegar o nome de cada um deles para agradecer. Assim como o da caixa de supermercado que, registrando minhas compras um dia, me perguntou: "O senhor vai levar requeijão, seu Zeca?". Ou as dezenas de pessoas que pegaram no meu braço para dizer, em tom de confessionário, que, por causa do *Medida Certa*, já haviam perdido dois, seis, quinze quilos. Foi gente assim que fez do quadro esse enorme sucesso – e pelo menos parte da minha gratidão é para esses entusiastas da mudança no estilo de vida –, quem sabe até para você, que me lê agora.

Mas justamente por ter causado essa comoção nacional, eu tenho que reconhecer, neste espaço, o trabalho e o esforço de uma equipe incansável – e pessoas próximas e queridas que direta ou indiretamente fizeram do *Medida Certa* um fenômeno. No primeiro grupo, tenho que começar agradecendo Luiz Nascimento, diretor do *Fantástico*, por sua inexplicável energia em renovar constantemente nosso programa. Foi a sua segurança, e a certeza de que estaríamos fazendo algo que poderia mudar para me-

lhor a vida de milhares de pessoas, que me fez aceitar a ideia do quadro, ainda quando era apenas um projeto cheio de riscos (o maior deles, o de uma superexposição, que ele me garantiu que seria arriscada, porém administrável). Sua determinação foi fundamental para contarmos com a aprovação da direção do jornalismo – Ali Kamel e Carlos Henrique Schroder, a quem também agradeço a confiança –, e Luiz contagiou ainda a todos da equipe: Frederico Neves, com seu rigor na preparação e no planejamento; Rafael Carregal, na sua capacidade de organizar o caos de horas de gravação; Filippi Nahar, com a sensibilidade nas escolhas de como ilustrar a nossa saga; toda a equipe de captação de imagens (Wellington Valsechi, cinegrafista; Leonardo Camaz, técnico; Bruno Assunção, operador de audio); e, claro, Marcela Amodio, com sua infinita capacidade de improvisar, e seu bom humor perene diante das situações mais adversas de produção dos episódios e de humor deste que aqui escreve. Se tivemos bons momentos de risada e de descontração nas gravações sempre puxadas, Marcela é uma das maiores responsáveis por eles.

A compreensão e a solidariedade da Marcela era reproduzida na minha vida pessoal. Por isso, não posso deixar de agradecer a minha família por driblar momentos de extrema irritação, sempre com compreensão e boa vontade – isto é, quando minha mãe, Maria Inez, não resolvia fazer certo rosbife para me provocar. E aos amigos mais próximos e queridos, que driblavam meus momentos de maior irritação (e desespero!). À sinceridade, ao incentivo e ao carinho do Denis pelo acompanhamento, pela dedicação e pela ajuda; à Fernanda, que me ajudou a dar forma final a este livro. Todos foram importantes para segurar uma onda que, como conto em várias passagens nestas páginas, achei que não iria dar conta.

Mas não é que deu certo? E, por isso mesmo, tenho que retomar a minha ideia inicial e agradecer, então, todas as pessoas – anônimas simplesmente, porque não tive tempo de colecionar todos os nomes, mas que foram fundamentais para que isso tudo pudesse acontecer – e para que tudo fosse adiante, até hoje, e mais ainda no futuro.

Se parece que estou esquecendo alguém, calma. Deixei o Marcio Atalla para o fim, justamente para que seu agradecimento fosse especial. Não foram poucos os momentos difíceis – na frente e atrás das câmeras. Mas o Atalla, que mal conhecíamos antes de tudo começar, provou ser um incentivador natural – de terapeuta a personal, ele foi um pouco de cada coisa. Mas, sobretudo, foi um grande amigo... na *Medida Certa*!

Esse projeto era um desejo, um sonho que só foi realizado porque contei com a colaboração de várias pessoas. Como sempre, a estimada ajuda do amigo Alberto Pecegueiro, a "minha" diretora de conteúdo Joana Kfuri, que sempre me ajudou a formatar e colocar em prática minhas idéias, a minha família e meus amigos. Sou muito grato ao diretor do *Fantástico* Luiz Nascimento, que apostou desde o primeiro instante no meu projeto e me deu todas as condições para que ele fosse realizado, e ao incentivo e a credibilidade da amiga Eugênia Moreyra. Agradeço ao Zeca Camargo, que entrou de cabeça nesse projeto e engrandeceu o *Medida Certa*, à Renata, que se expôs e seguiu todos os passos da minha filosofia e a equipe do *Fantástico* que me recebeu de braços abertos.

"*Medida Certa.
FIM.*"

Crédito de imagens
Simone Marinho / Agência O Globo: capa

Divulgação TV Globo/ João Cotta: pp. 2-3, 21, 29, 80, 96, 100, 101, 187, 197, 238, 239, 245, 250, 253, 259, 261, 263, 265

Divulgação TV Globo/ Estevam Avellar: pp. 5, 6, 12-13, 14, 22, 26-27, 28, 32, 34a, 34b, 37, 42c, 45b, 49, 51, 67, 69, 72, 121, 129, 139, 157, 180, 195, 235

Acervo Renata Ceribelli: pp. 16, 18, 19, 63b, 79, 82b, 97, 171, 172, 173, 150, 212, 251, 254, 255, 260, 261, 262

Marcela Amodio: pp. 34c, 34d, 42a, 42b, 42d, 45a, 63a, 65, 71, 73, 75, 78, 82a, 82c, 90, 91b, 92, 114, 115, 119, 133, 143, 145a, 147, 154, 160, 164, 165, 166, 170, 185, 191, 198, 201, 202, 209, 216, 217, 218, 219, 225, 234, 240, 242, 248, 252a, 252b

Acervo Zeca Camargo: pp. 89, 91a, 106, 107, 109, 110, 123, 124, 125, 127, 128, 142, 161, 162, 163, 183, 233, 236,

Portal IG / Léo Ramos: p. 206

Fotogramas cedidos por TV Globo: pp. 8, 11, 55, 70, 76, 98, 117, 145b, 145c, 145d, 146, 152, 227, 241, 244, 252c,

Copyright © 2011 by Editora Globo S. A. para a presente edição
Copyright © 2011 by Zeca Camargo, Renata Ceribelli e Marcio Atalla
Copyright © 2011 by TV Globo

Todos os direitos reservados. Nenhuma parte desta edição pode ser utilizada ou reproduzida – por qualquer meio ou forma, seja mecânico ou eletrônico, fotocópia, gravação etc. – nem apropriada ou estocada em sistema de banco de dados, sem a expressa autorização da editora.

Edição: Ana Tereza Clemente
Preparação: Eliana Rocha
Revisão: Laila Guilherme
Capa e projeto gráfico: epizzo

Texto fixado conforme as regras do novo Acordo Ortográfico da Língua Portuguesa (Decreto Legislativo nº 54, de 1995).

Dados Internacionais de Catalogação na Publicação (CIP)
(Câmara Brasileira do Livro, SP, Brasil)

Camargo, Zeca
    Medida Certa / Zeca Camargo & Renata Ceribelli com Marcio Atalla. -- São Paulo : Globo, 2011.

ISBN 978-85-250-5069-4

    1. Atividade física 2. Autoestima 3. Corpo - Peso - Controle 4. Dietas para emagrecimento 5. Dietética 6. Emagrecimento 7. Hábitos alimentares 8. Medida Certa (Programa de televisão) 9. Obesidade 10. Saúde - Aspectos nutricionais I. Ceribelli, Renata. II. Atalla, Marcio. III. Título.

11-12302   CDD-613.7

Índices para catálogo sistemático:
1. Emagrecimento : Atividade física e nutrição : Promoção da saúde 613.7

1ª edição, 2011
1ª reimpressão, 2012

EDITORA GLOBO S.A.
Av. Jaguaré, 1485 – São Paulo, SP, Brasil
05346-902
www.globolivros.com.br

LICENCIAMENTO: GLOBO MARCAS

Este livro, composto nas fontes Frutiger, Berkeley e Helvetica e paginado
por epizzo, foi impresso em couchê fosco 115 g na Cromosete.
São Paulo, Brasil, 2012.